Lôn Gweunydd

IFOR WYN WILLIAMS

GWASG PANTYCELYN

Argraffiad cyntaf: 2002

Dymuna'r cyhoeddwyr gydnabod cymorth
Adrannau Cyngor Llyfrau Cymru.

ISBN: 1-903314-31-3

Cyhoeddwyd ac argraffwyd gan Wasg Pantycelyn, Caernarfon

CYFLWYNIEDIG I

ANNE

ac

OWEN WYN

Diolchiadau gan Ifor:

I Owen am ei waith gyda'r cyfrifiadur;

I Eirlys fy modryb am ei hanwylder a'i chyngor doeth bob amser;

I Anne am ei gofal ac am baratoi'r nofel ar gyfer ei chyhoeddi.

Diolchiadau Anne Roberts:

I Wasg Pantycelyn am gyhoeddi;

I Meinir Pierce am gymorth;

I John a Gwen Rees Jones am arweiniad;

I Owen Wyn Roberts am rannau o'r clawr.

7

Pennod 1

Peth newydd ddod oedd yr ogla rhyfedd yn y tŷ. Yr un ogla oedd ar y nyrs fuodd yn trin y dolur ar ei ben-glin. Doedd o ddim yn lecio'r ogla. A bellach roedd yr hen nyrs honno'n galw bob dydd i weld ei dad. Ddoe a'r diwrnod cynt fe ddaeth hi a'r doctor ddwywaith. Roedd yn falch bod y doctor yn dod achos wedyn fyddai'i dad ddim yn gweiddi mewn poen – 'poen gwaeth na phigyn yn dy glust,' ddywedodd ei fam. A rŵan roedd yr hen nyrs a'r doctor efo Dadi eto. Ond roedd o wedi cadw o'r golwg trwy guddio yn y twll tan grisia.

'Fyddi di'n saff yn fanna,' meddai Nana.

'Wnewch chi aros efo fi nes bydd hi wedi mynd?'

Daeth hi ato o'r gegin yn cario teisen *sponge* fach efo eisin pinc arni. Cofleidiodd o gan gusanu'i ben cyrliog. 'Robat Wyn, ti'n werth y byd. Gyn ti'r un cyrls â finna – tebyg i'n teulu ni wyt ti, 'te?'

Er iddo gael ei fedyddio'n Robert, fedrai o ddim cofio am neb erioed yn ei alw wrth yr enw. I bawb, Robat neu Robat Wyn oedd o, yn dibynnu ar sut roeddan nhw'n teimlo ar y pryd. Dim ond ar lyfrau'r ysgol y daliai'r enw Robert i fod. Hyd yn oed yn yr ysgol – heblaw am ambell athrawes ddiarth – câi ei alw'n Robat gan bawb.

Wnaeth o ddim ateb cwestiwn Nana – roedd o wedi hen flino clywed rhai'n canmol ei gyrls. Camodd heibio iddi ar wib gan egluro bod rhaid iddo gael ei bethau. Ymhen dim roedd yn ei ôl yn gwisgo het gowboi ac yn cario gwn cogio o liw arian.

'Wel wir, wiw iddi ddod i mewn aton ni rŵan,' meddai Nana'n gwenu arno.

Gwenodd yntau, 'Neu mi saetha i hi!'

Ymhen ychydig iawn blinodd ar eistedd yn llonydd, a holodd pam roedd ei fam mor hir yn y dref.

'Falle'i bod hi wedi methu cael rhew yn y siop bysgod isa.'

Crychodd ei dalcen. Fedrai o ddim diodde'r syniad fod rhaid cael rhew o siop bysgod i'w roi yng ngheg ei dad.

'Nana, be mae'r rhew yn 'i neud?'

Edrychodd yn dosturiol arno. 'O . . . helpu Dadi i fendio. Yli, beth am ganu "A*in't she sweet!*"?'

Cytunodd yn syth. Honno oedd ei ffefryn am ei bod hi – yn ei feddwl o – yn disgrifio'i fam i'r dim. Ychwanegodd yn gyflym.

'Ia, ia, ond mewn llais bach cofiwch, Nana, rhag i'r nyrs 'na'n clywad ni.' Gan sibrwd, canodd, '*Ain't she sweet walking down the street? I ask you confidentially, Ain't she sweet?*'

Wrth i Nana ddechrau chwerthin a'i gofleidio eto clywsant ddrws y ffrynt yn agor a chau, a daeth ei fam i mewn i'r gegin a chael yr un effaith arno â phetai'r haul wedi byrstio i mewn drwy'r ffenest.

'A lle mae fy hogyn bach del i?' gofynnodd ei fam wrth gamu ato, a'i gusanu a'i wasgu mor dynn nes gwneud i'w het gowboi ddisgyn. Roedd sŵn ei llais, a theimlo'i breichiau amdano a chlywed ogla ei sent yn codi'i galon yn syth.

'A fuodd o'n hogyn da i Nana?'

'Welis i 'rioed un gwell.' Diflannodd gwên Nana. 'Mae'r doctor a'r nyrs yn y llofft. Isio dy weld ti'n syth.'

Doedd ei fam ddim yn gwenu rŵan chwaith. 'Sut mae o wedi bod? Fuodd o'n gweiddi o gwbl?'

Ysgydwodd Nana'i phen. 'Dim smic ers pan est ti. Dos atyn nhw, wir.'

Wedi gollwng ei gafael ynddo, aeth ei fam ar frys i

gyfeiriad y grisiau. Pan welodd Robat hi nesaf roedd o a Nana wrthi'n cael tipyn o sgram i ginio ar fwrdd bach yn y gegin gefn.

'Mi synni di glywed, Sal – mae'r hogyn bach 'ma sy gynnon ni wedi bwyta un *penny duck* cyfa.'

'A lot o sôs brown.'

Syllodd hi arno heb wenu am eiliad. 'Ti fydd hogyn mawr mami, 'te.'

'Ga i fynd i ddeud wrth Dadi am y *penny duck*?'

'Reit, ty'd rŵan 'ta – mae o isio dy weld di.'

Roedd ogla dwylo'r nyrs yn gryf iawn yn y llofft. Ac er bod wyneb ei dad yn edrych fel petai wedi'i beintio'n wyn, mi wenodd yn syth pan welodd o Robat.

'Wel, Robat bach – ti'n hogyn da iawn i dy fam, dw i'n clywad.'

'Ydw, ac wedi bwyta un *penny duck* i gyd fy hun.'

'Ti'n dipyn o foi,' meddai'i dad yn colli'i wynt.

'Yli . . . gyn i bresant bach i ti am fod yn . . .' Dechreuodd besychu nes bod ei gorff tenau i gyd yn ysgwyd ac yn achosi rhywbeth i godi i'w geg. Brysiodd Mami at ei ymyl gan ddal y fowlen iddo boeri ynddi. Roedd Robat isio gofyn ai'r rhew oedd wedi codi'r peswch, ond cyn iddo wneud roedd ei dad yn poeri i'r fowlen. A chyn i Robat fedru gweld ai'r rhew ddisgynnodd i'r fowlen, roedd ei fam wedi taflu lliain drosti'n gyflym a'i rhoi'n ôl dan y bwrdd wrth ben y gwely. Sylwodd fod bag papur brown ar y bwrdd a rhywbeth ynddo. Edrychodd ar ei dad oedd yn gorffwys yn ôl ar y clustogau uchel. Yn sydyn sylweddolodd fod ei dad – gyda'i wyneb gwyn a'i lygaid yn edrych yn fwy nag erioed a'r cochni newydd o gwmpas ei geg – yn edrych yn ddigri.

'Mami, mae Dadi'n edrach fel clown!'

Edrychodd ei fam yn drist iawn cyn hanner gwenu. 'Ti'n iawn, cyw!' Aeth i ddechrau pwffian chwerthin. 'Wir, Glyn, faset ti'n cael job mewn syrcas!' Yr eiliad nesaf roedd ei fam ac yntau'n chwerthin gymaint nes bod hi'n gorfod gwasgu'i breichiau am ei chanol rhag i'r chwerthin ei brifo. Pan dawelodd hi gwelodd Robat ddagrau mawr yn sefyll yn llonydd yn ei llygaid.

Yna roedd Dadi wrthi'n trio codi'r bag papur oddi ar y bwrdd bach. Yn y diwedd wnaeth o ddim mwy na llithro'n ôl ar y clustogau. Siaradodd yn dawel iawn wrth ofyn i Mami estyn y bag iddo. Wedi iddo'i gael yn ei ddwylo edrychodd ar Robat.

'Fel clown . . . mae'n iawn mai fi sy'n rhoi'r anifail pwysig yma i dy syrcas di . . .' Tynnodd eliffant seliwloid piws crand o'r bag. 'Pasg roeddet ti i fod i' gael o . . . Ond – '

'Well gyn i gael o rŵan, Dadi. A hwn fydd fy ffefryn i am byth!'

'Dos i roi sws fawr i Dadi – ' ac ychwanegodd ei fam yn frysiog, 'Ar ei foch.'

Gwnaeth o hynny a gwasgodd Dadi fo ato – dim ond am eiliad neu ddau, wedyn roedd ei dad yn llacio'i afael ynddo a'i wyneb gwlyb yn llithro oddi wrth wyneb Robat. Roedd gwefusau'i dad yn crynu ond doedd o'n dweud dim yn uchel. Clywodd lais Mami'n sibrwd, 'Ty'd, cyw, rhaid i ni adael i Dadi gysgu.' Aeth ei llais yn fwy bywiog. 'A rhaid i ti ddangos dy bresant i Nana a deud am y clown.'

Doedd Nana ddim wedi chwerthin cymaint â Mami ond roedd hi wedi lecio'r eliffant bach piws yn arw. Chawson nhw fawr o amser i sgwrsio unwaith y sylwodd ei fam faint o'r gloch oedd hi, achos roedd rhaid mynd ati i gael pethau'n barod erbyn i Taid a Nain Sir Fôn gyrraedd. Prin roedd o'n eu cofio nhw – Taid yn arbennig. A dywedodd Nana mai dim ond unwaith y buodd o'n y tŷ erioed – ar ddiwrnod priodas Dadi a Mami. Ac roedd hynny dros saith mlynedd yn ôl. Ond roedd o'n cofio Nain yn well, yn fwy na dim am ei fod o'i hofn hi. Pan ddywedodd hynny wrth ei fam tra oedd hi'n ei wisgo yn ei siwt llongwr newydd gwenu wnaeth hi.

'Cofia di dydi pob nain ddim fel Nana.'

Pwysodd ei ben yn erbyn ei chesail. 'A dydi pob mami ddim yn ddel fel chi.' Gwyddai'i fod wedi dweud y peth iawn, a'i fod yn wir hefyd, a bod hynny mor bwysig iddo.

'O'r aur!' meddai hi gan ei wasgu i'w chesail. Yna syllodd arno, 'Ond bydda di'n neis efo Nain, cofia mai hi ydi mam Dadi.'

Edrychodd yn anesmwyth. 'Fydd dim isio i mi aros yn hir efo nhw?'

Yn gynnar yn y prynhawn roedd o wedi cael digon o drio ateb rhieni'i dad. Roedden nhw hefyd fel 'tasen nhw'n rhy ddigalon i siarad efo plentyn bach. Teimlai yntau wedi'i siomi na ddywedodd yr un o'r ddau mor smart roedd o'n edrych yn ei siwt llongwr. Ac roedd o'n falch o'u gweld nhw'n mynd yn araf i fyny'r grisiau at ei dad. Ei daid mewn hen siwt lwyd a rhannau ohoni'n sgleinio, a'i nain mewn het a chôt fawr ddu hir, y ddau'n edrych – hyd yn oed o'r cefn – yn ddigalon.

Yna roedd Nana wedi dianc o'r tŷ dan bwffian chwerthin gan ddweud wrtho fod ganddi syrpréis sbesial iddo. Triodd ddyfalu beth oedd y pleser o'i flaen, ond ysgwyd ei phen wnaeth hi bob tro.

'Rôl dringo'r allt hir i ben y stryd doedd ganddo fawr o wynt i holi gymaint. Wedyn wedi cyrraedd y Stryd Fawr disgwyliai y byddai Nana'n arafu, ond wnaeth hi ddim er bod ei hwyneb yn binc i gyd a sŵn ei hanadlu'n uchel.

'Wn i fod gyn ti goesa bach,' meddai hi gan lowcio'i gwynt, 'ond dalia ati, siwgwr. Gawn ni fws yn y sgwâr.'

Fuodd o erioed mor falch o gyrraedd sgwâr y dref ac yn falchach wedyn o weld fod y bws iawn yn disgwyl amdanyn nhw.

'I lle mae hon yn mynd, Nana?'

'I Sir Fôn – ond mi wnaiff y tro.'

Taflodd rhyw anesmwythder gysgod dros ei feddwl.

'Dydan ni ddim yn mynd i Sir Fôn i dŷ Taid a Nain i ddisgwyl nhw adra?'

Gwelodd yr ofn ar ei wyneb ac ysgydwodd ei phen.

'Ond mae 'na rywun pwysig yn fan'ma'n disgwyl amdanat ti.'

Roedd y bws yn arafu i stopio, a daeth sinema'r Arcadia i'r golwg.

'Nana, pwy sy'n disgwyl amdana i?'

Roedd ei lygaid yn pefrio gan hapusrwydd.

'Pwy ti'n feddwl? Un cliw – mae gynno fo geffyl – '

'A Tony ydi hwnnw?'

Gwenodd hi'n llydan.

'Dw i'n gwbod, dw i'n gwbod! – Tom Mix!' meddai mor uchel nes bod pobl yn troi i edrych arnyn nhw. Ond doedd dim ots ganddo am neb na dim y munud hwnnw wrth iddo gerdded i mewn i'r Arcadia yn llaw Nana i weld ei arwr mawr.

Doedd o ddim yn deall y ffilm i gyd ond roedd o wrth ei fodd yn gweld Tom Mix a Tony'n carlamu ar ôl lleidr ac yn ei ddal efo'i lasŵ. Câi ei gyffroi'n lân pan fyddai Tom yn tanio'i wn yn gyflymach na phob lleidr. Yn y diwedd un pan saethodd o arweinydd y lladron, gan ei adael yn farw a chlwt o waed ar ei frest, roedd Robat wedi troi at Nana.

'Ond dydi Dadi ddim yn ddyn drwg, nac 'di, Nana?'

Ar y ffordd adref, fel petai ar Nana angen tywallt hynny a fedrai o bleser a hapusrwydd i'r prynhawn melys hwnnw, aeth â fo i gaffe yn y Stryd Fawr. Yno cafodd o eis-crîm, cacen siocled a lemonêd, ac o'r bwrdd wrth y ffenest gallai weld rhesi o bobl a cheir ac ambell fws yn mynd heibio. Hwn oedd un o ddiwrnodau hapusa'i fywyd. Roedd ei dad a'i fam wedi colli lot o hwyl. Hi fyddai wedi mwynhau'r caffe – yn sbio ar bawb yn mynd heibio, a phawb yn troi i sbio arni hi'n edrych fel dol yn y ffenest. Ond beth ddywedai'i dad 'rôl clywed ei fod wedi gweld Tom Mix hebddo fo. Hwyl pellach fyddai cael dweud hynny wrtho.

Ond chafodd o mo'r pleser hwnnw y noson honno. Eglurodd ei fam fod y doctor a'r nyrs wedi galw eto ac wedi rhoi rhywbeth i wneud i Dadi gysgu. Doedd wiw ei ddeffro hyd yn oed i gael stori Tom Mix a Tony.

'Gei di ddeud yr hanes i gyd wrtho fory,' meddai'i fam. 'Wel, mi fydd wedi synnu!'

Chwarddodd o'n uchel. 'Dw i'n gwbod!'

Pan aeth ei fam â fo i'w wely, y stori ddywedodd hi wrtho oedd un am ryw hogyn bach chwech oed oedd yn ofnadwy o ddewr.

'Fel Tom Mix, Mami?'

'Digon tebyg – 'run dw i'n meddwl amdano.'

'Na, fasa fo byth mor ddewr â Tom Mix.'

Cusanodd ei dalcen gan ddal ei chusan am eiliad nes bod ei gwallt yn cosi'i foch. 'Synnwn i ddim,' meddai hi.

Daeth o i benderfyniad sydyn. 'Mi ddeuda i stori Tom Mix yn yr Arcadia cyn i Dadi gael brecwast.'

'O, wn i ddim, del bach. Gawn ni weld sut bydd petha fory.'

Pennod 2

Prysur iawn oedd dechrau bore'r yfory hwnnw. Y doctor a'r nyrs yn galw, a'i fam i fyny ac i lawr y grisiau heb amser bron i ddweud dim wrth Robat. Doedd hi ddim yn debyg iddi hi'i hun efo'i llygaid yn syllu o hyd a'i gwefusau wedi'u cau'n dynn fel 'tase hi wedi penderfynu peidio â gwenu ar neb am ddiwrnod cyfan.

Unwaith, aeth o'r tu cefn iddi a'i chosi i'w chael i wenu arno. Ond wnaeth hi ddim mwy na dweud,

'Paid rŵan, del bach, mae Mami'n brysur iawn.'

Wedyn fwy nag unwaith aeth hi i'r parlwr cefn i siarad yn ddistaw efo Nana. Pob tro yr âi o yno atyn nhw roedden nhw wedi peidio siarad yn syth. Dywedodd Mami wrtho am fynd yn ôl i'r gegin i chwarae am fod Nana a hithau isio sgwrs bwysig.

'Ga i frecwast gynta, Mami?'

'Aros funud – '

'Ond dw i jyst â llwgu, wir.'

'Rhaid i ti ddisgwyl – dw i isio gwneud yn siŵr fod Dadi'n iawn i'w adael am dipyn.'

'Ond dw i'n . . .' Peidiodd â mynd ymhellach wrth i syniad newydd ei daro. Oedd hi'n dweud ei bod hi'n caru'i dad yn fwy na fo? Wyddai o ddim sut i ofyn. Mentrodd, 'Ydach chi'n dal i garu Robat Wyn yn fwy na neb arall yn y byd i gyd?'

Edrychodd hi'n ansicr. 'Pwy ydi hwnnw, 'dwch?'

Ond wrth weld y siom ar ei wyneb, gwenodd hi a rhoi'i braich am ei 'sgwyddau.

'Wrth gwrs 'mod i. Ond rhaid i ti fod yn hogyn mawr

a dallt fod Mami'n poeni'n arw efo Dadi'n dal mor sâl.'

'Ga i'ch helpu chi?'

'Wyddost ti sut?' Wnaeth o ddim ateb. 'Wrth beidio swnian.'

Roedd o ar fin dweud bod twrw gwag yn ei fol, ond newidiodd ei feddwl.

Pan ddaeth sŵn cnoc ar ddrws y ffrynt aeth Nana i'w ateb a galw arno i ddweud bod ei ffrind o dros y ffordd, Idris, isio'i weld.

'Yli be sy gyn i, was,' meddai Idris yn dangos pêl ffwtbol newydd.

'Ti'n lwcus, Idris.'

'Seis thri. Rhy drwm i chdi, debyg.' Gwenodd. 'Robat Wyn – coesau ffyn!'

Teimlai Robat ei fochau'n poethi. 'Paid â galw enwa arna i.'

'Ond mae o'n wir. Sbia arnyn nhw dy hun.'

Fedrai Robat ddim dal mwy. Trodd oddi wrth giât y ffrynt a brysio am ddrws y tŷ.

'Robat, paid â mynd. Sori, wir. Yli, was, fydda i'n mynd am *chips* amser cinio – bryna i werth ceiniog i chdi.' Petrusodd Robat. 'Ac yli – pnawn 'ma mi gei di fod yn Tom Mix ac mi fydda i'n Buck Jones. Ond ddoi di i chwara pêl gynta?'

'Pryd?'

'Rŵan 'te – yn y stryd.'

'Wn i ddim – mae Dadi'n sâl iawn.'

'Diciâu sy arno fo 'te? – pesychu lot on'dydi? Yn 'i glywad o wrthi o'r stryd.'

'Ond ar y rhew mae'r bai.'

Meddyliodd Idris am eiliad neu ddau cyn siarad wedyn.

'Yli, was, efo pêl seis thri a bob dim, gei di fynd i'r gôl. Ty'd.'

'Dydw i ddim 'di cael brecwast eto.'

'Wel, brysia. Wna i aros amdanat ti.'

'Welis i Tom Mix ddoe.'

'O do? Yli, wna i aros wrth giât tŷ ni, iawn?'

Cofiodd Robat am un anhawster mawr. 'Ond dydw i ddim i fod i swnian am fwyd.'

Roedd Idris flwyddyn yn hŷn a gwyddai Robat y byddai'i ffrind yn gwybod beth fyddai orau iddo'i wneud.

'Ia, O.K., mi fydda i wrth y giât beth bynnag.'

Cymrodd gam neu ddau at y palmant, yna trodd ei ben. 'Dw i isio i ti gael bod y cynta i fod yn gôl efo'r bêl newydd. Dywad hynny wrth dy fam.'

Nodiodd Robat. 'Wna i.'

Pan aeth i mewn i'r tŷ a chyrraedd gwaelod y grisiau, gwelodd ei fam yn brysio ar hyd y landin o lofft ei dad yn cario'r fowlen i'r bathrwm.

Gwaeddodd ar ei hôl, 'Ydi diciâu Dadi'n well?'

Wnaeth hi mo'i ateb. Clywodd o ddŵr y toiled yn rhedeg, yna ynddangosodd ei fam eto efo'r fowlen. Gofynnodd mewn llais blinedig,

'Be ti eisio rŵan, Robat?'

'Idris sy'n gofyn i mi fynd i chwara efo'i bêl newydd seis thri . . .'

Aeth ei llais yn fwy blinedig. 'Titha jyst â marw isio mynd heb gael brecwast? Nefoedd! Fedar plant ddim disgwyl munud . . .' Cododd ei llais, 'Reit, reit, dos at y bwrdd.'

Eisteddodd yn frysiog wrth y bwrdd gan ofyn yn syth,

'Dw i eisio lot o siafings bore 'ma, lot fawr.'

Edrychodd ei fam yn flin arno. 'Wyt ti wedi rhoi'r gora i ddeud "plîs", do?'

Peidiodd Nana â thywallt y te. 'Anghofio wnest di, 'te, del bach.'

'Dydi o byth yn anghofio swnian am gael rhoi'i hun o flaen pawb arall.' Swniai llais ei fam yn fwy blin byth, ac roedd ei hwyneb yn edrych bron yn gas.

'Sori, Mami,' meddai o gan drio sbio'n annwyl arni. Tywalltodd hi'r *Corn Flakes* i'w ddysgl ond heb awgrym o faddeuant iddo. Penderfynodd o fwyta'n ddistaw ac roedd Nana wedi dechrau cnoi'i thost. Gwrthododd ei fam gymryd dim ond diod o de. Sipiodd hwnnw'n frysiog gan edrych i fyny i gyfeiriad y llofft fwy nag unwaith. Trodd o at Nana.

'Teimlwch 'nghoesa i, Nana, i chi weld mor gryf ydyn nhw.'

Gwasgodd hi ei goes dde. 'Wel am gry – a chalad. Rôn i'n meddwl 'mod i wedi gafael yng nghoes y bwrdd mewn mistêc!'

Wel, roedd hynny wedi'i blesio, a gan chwerthin yn uchel meddai, 'Ac mae Idris yn deud fedra i ddim cicio pêl seis thri!'

'Gwell i ti beidio – rhag ofn . . .' dechreuodd Nana ond torrodd o ar ei thraws.

'Ofn be, Nana?'

'Rhag ofn i ti gael dy frifo.'

Roedd hyd yn oed Nana yn ei siomi. 'Sut fedra i efo coesa caled fel . . . ?'

Torrodd llais ei fam ar ei draws, 'Tewch!' Syllai i gyfeiriad y grisiau. 'Glywsoch chi rywbeth, Mam?' Roedd ei fam wedi codi ar ei thraed.

'Chlywis i ddim byd,' meddai Nana. 'Gorffen dy de a byta rywbeth, Sal fach, neu . . .'

Daeth sŵn rhywbeth trwm yn disgyn ar lawr un o'r llofftydd. Rhuthrodd ei fam o'r gegin ac am y grisiau. Byddai Robat wedi bod wrth ei sodlau petai Nana heb gydio yn ei freichiau.

'Na, aros di efo fi, cyw.' Ond gyda phlwc sydyn roedd o wedi rhedeg i fod wrth ymyl ei fam. Fedrai o ddim wynebu beth roedd o'n ei ofni heb fod yn ddigon agos ati i afael yn ei llaw. Brysiodd y ddau i mewn i'r llofft a gweld ei dad wedi disgyn dros ymyl y gwely nes bod ei ben, ei 'sgwyddau a'i freichiau ar y llawr, a'i goesau'n dal yn y gwely. Rhuthrodd ei fam ato gan wneud sŵn griddfan a chrio efo'i gilydd wrth iddi fynd ar ei gliniau i roi ei breichiau o amgylch pen a 'sgwyddau'i dad. Am ennyd fedrai Robat ddim symud na gwneud sŵn na meddwl am ddim ond bod y peth gwaetha erioed wedi digwydd iddo. 'Falle bod ei dad yn teimlo 'run fath achos doedd yntau chwaith ddim yn siarad na symud. Ac er bod ceg goch clown yn dal ganddo, edrychai'n ofnadwy o drist.

Roedd ei fam rŵan yn mwnian crio, a daeth yn ymwybodol bod Nana wedi dod i sefyll y tu cefn iddo. Teimlai'i dwylo'n gafael yn dyner amdano. Bellach roedd ei fam yn siglo pen ei dad yn ei chesail fel 'tase fo'n fabi, a dweud rhyw eiriau'n gryg nad oedd o ddim yn eu deall nes iddi godi ei llais fymryn . . . 'A dôn i ddim efo ti ar y diwedd . . . dôn i ddim isio i ti fod ar ben dy hun, dôn i byth isio hynny – madda i mi, 'nghariad bach i.'

Oedd posib mai efo fo, Robat, roedd hi'n siarad ar ôl bod mor flin efo fo? Clywodd ei lais yn fach ac yn wan yn gofyn,

'Syrthio wnaeth o 'te? Ydi o wedi brifo'n arw?'

Trodd ei phen ato'n ffyrnig. 'Heblaw amdanat ti'r swnyn, faswn i wedi bod efo'r creadur bach!' Roedd dagrau'n rhedeg i lawr ei bochau wrth iddi weiddi, 'Dos o 'ngolwg i! Dos at dy frecwast ddiawl!'

Fedrai o ddim dweud yr un gair. Roedd ei geiriau wedi ei frifo gymaint. Chlywodd o erioed mohoni'n siarad fel hyn o'r blaen. Roedd arno isio rhedeg oddi wrthi, a theimlai'n falch pan wasgodd Nana'i breichiau amdano a sibrwd,

'Ty'd, del bach – awn ni i lawr grisia. Jyst wedi ypsetio'n arw mae Mami. Ty'd i orffen dy siafings.

Pennod 3

Chafodd o ddim mynd allan i chwarae yn y stryd efo Idris y diwrnod hwnnw. Ond fe biciodd Nana â fo i'r tŷ dros y ffordd yn fuan ar ôl brecwast. Roedd hi a Misus Williams, mam Idris, wedi siarad yn ddistaw bach mewn ystafell tra oedd o'n gwrando ar Idris wrthi'n canmol y bêl newydd yn yr ardd gefn. Wedyn wedi i Nana roi sws fawr ar ei foch, fe adawodd hi o hefo nhw. Y peth cynta wnaeth Misus Williams oedd dweud ei fod wedi tyfu'n hogyn mawr, a rhoi darn o siocled iddo fo a darn llai i Idris. Ac am fod yr ysgol wedi cau dros wyliau'r Pasg, fe gafodd o gwmpeini Idris drwy'r bore a'r prynhawn. Amser cinio oedd ora pan gafodd fynd efo Idris i nôl *chips* a phys slwtsh o siop fach Alis Ifans. Roedd hi wedi'u syrfio nhw o flaen un ddynes arall.

'Yli, 'ngwas bach i,' meddai hi gan edrych yn ffeind ar Robat, 'dyma fagiad o sgolops i ti – am ddim.'

'Thenciw.'

'Wyt ti am roi un neu ddwy i Idris?'

'O, ydw.'

'*Well done.*' Trodd i edrych ar Idris. 'Mi edrychi di ar ei ôl o, wnei, was?'

'Gwnaf, Misus Ifans. Fo ydi'r cynta i chwara efo 'mhêl newydd i.'

Wrth iddyn nhw fynd allan drwy'r drws clywodd Robat bwt o'r sgwrs yn y siop.

'Y creadur bach,' meddai llais Misus Ifans.

'Bechod,' meddai llais y llall. 'A fydd 'na ddim dal ar ei fam o rŵan . . .'

Roedd o'n hanner siŵr mai y fo roedd ganddyn nhw biti drosto, ond wyddai o ddim pam y byddai dal ei fam mor anodd. Doedd o 'rioed wedi meddwl ei bod hi'n fawr o redwr. Feddyliodd o ddim mwy am y peth gan fod Idris wedi gollwng hanner ei newid ar y palmant, ac roedd un ddimai wedi diflannu rhwng bariau'r sinc yn y gwter.

Ddywedodd Mam Idris ddim byd am y ddimai, ond roedd hi'n canmol Alis Ifans am fod yn ddynes ffeind. Roedd Robat isio gofyn a oedd Misus Williams yn medru rhedeg mor gyflym â'i fam, ond am ryw reswm daliodd y cwestiwn yn ôl.

Y munud y daeth tad Idris adre fe agorodd ei fam dun o gorn bîff i fynd efo'r *chips* a'r sgolops a'r pys slwtsh a fu'n cael eu cadw'n boeth yn y popty. Meddyliodd Robat, wrth i'r pedwar eistedd o amgylch y bwrdd, fod lot o amser wedi mynd heibio er pan oedd o'n cofio gweld ei dad wrth fwrdd y gegin yn bwyta efo fo a'i fam. Teimlai'r ysfa i siarad efo tad Idris a throdd ato.

'Mae Dadi wedi syrthio o'r gwely.'

'Dach chi'n gweld rŵan,' meddai Idris a'i geg yn llawn, '"dadi" ma hwn yn ddeud o hyd.'

'Taw! A byta dy fwyd,' meddai tad Idris yn syth.

Ar ôl cinio aeth Robat, Idris a'i dad i'r ardd gefn i chwarae efo'r bêl newydd. Roedd hi braidd yn drom i Robat ond roedd o'n benderfynol o beidio â dangos hynny. Un tro, ac yntau yn y gôl, brifodd ei fawd, ond gorfododd ei hun i wenu trwy'r boen ar y ddau arall, a chafodd glod gan Mistar Williams am ddal y bêl mor dda. Yn syth ar ôl i dad Idris ganmol Robat am yr ail dro, roedd Idris wedi neidio ar ei gefn a'i daflu i'r llawr.

'Ddeudis i mod i'n gryfach o lawer na fo, yndo, Dad?' meddai Idris â'i ben-glin ar frest Robat i'w gadw ar y llawr.

Tynnodd Mistar Williams Idris oddi wrth Robat. 'Wrth gwrs dy fod ti'n gryfach na fo! Ti flwyddyn yn hŷn, y jolpin!' Gafaelodd yn Robat a'i godi ar ei draed. 'Ti'n rêl boi, 'sti. Paid cymryd sylw o dricia'r hen hogyn 'ma. Fase fo ddim wedi safio y siot galed honno fel gwnest ti.'

'Hy!' meddai Idris yn uchel dan ei wynt. Chymrodd ei dad ddim sylw ohono.

Ond teimlai Robat ei fod wedi cael digon ar fod yn nhŷ Idris. Roedd ei fawd yn dal i frifo ond y peth gwaetha oedd y teimlad anghyffyrddus bod byd Idris a'i dad a'i fam yn wahanol iawn i'r byd trist roedd o ynddo. Drwy'r dydd yn eu tŷ nhw – er mor ffeind roedden nhw efo fo – fedrai o ddim bod yn hapus rywsut. A phob tro y teimlai fod yna biti drosto yn eu caredigrwydd, teimlai ofn hefyd. Roedd rhywbeth yn digwydd na fedrai mo'i ddeall – rhywbeth mawr, annifyr fel rhyw fwgan yn y tywyllwch. Ac roedd yntau fel 'tase'n well ganddo beidio rhoi'r golau ymlaen rhag ofn y byddai gweld y bwgan yn ddychryn llawer gwaeth. Tra byddai'n dewis peidio wynebu'r gwir, roedd yna obaith nad oedd bwgan yno wedi'r cwbwl – dim ond y tywyllwch annifyr. Falle wir – ond yn ei galon fedrai o ddim credu hynny chwaith. Felly wnaeth o ddim holi neb, a ddywedodd neb y gwir mawr wrtho.

Bellach roedd o eisio'i fam, eisio iddi fod yn ddigon agos iddi fedru gafael ynddo. Yn fwy na dim roedd o eisio'i gweld hi'n gwenu arno eto. Doedd hi ddim wedi gwneud ers cyn i'w dad syrthio. Welodd o mohoni wedyn. Nana edrychodd ar ei ôl ac aeth â fo i dŷ Idris. Nid y hi roedd o'i hangen rŵan, ond ei fam – a'i gwên.

Daeth i benderfyniad cyflym. Trodd at Misus Williams.

'Faswn i'n lecio mynd adra rŵan . . . plîs.'

Doedd hi ddim hanner mor ddel â'i fam, meddyliodd, wrth iddi wenu'n neis arno cyn ateb,

'Ddaw dy fam neu dy nain i dy nôl di pan fyddan nhw'n barod.'

Fuodd o erioed yn un da am ddadlau efo pobol hŷn.

23

'Ond maen nhw'n brysur efo Dadi.'

Aeth llygaid Misus Williams i edrych yn rhyfedd.

''Nghariad bach i, aros di am 'chydig eto. Dw i wedi cael bocsiad o *Lyons Tarts* yn arbennig i de i ti. Wnei di lecio'r rheini.'

'Wna i,' meddai, ond gan feddwl y byddai mwy eto o oedi cyn y câi weld ei fam. Clywodd lais Misus Williams yn dal i siarad a'i llaw'n gwasgu'i ysgwydd.

'Ac mi fydd y dyn eis-crîm yn y stryd. Cofia di ddeud os clywi di'i gloch o'n canu. Wnei di wrando, wnei?'

'Wna i,' meddai gan nodio, ond meddwl yr oedd y byddai'n well 'tase'i dad wedi cael eis-crîm yn lle rhew.

Fu dim rhaid iddo wrando'n hir a chafodd o mo'r *Lyons Tarts* i de chwaith. Cafodd well o lawer – galwodd Nana i'w nôl adre. A gwell byth – er bod ogla'r hen nyrs honno'n gryfach nag erioed yn y tŷ – oedd cael ei fam yn ei ddisgwyl gyda gwên fach a sws fawr. Mewn fflach roedd ei fyd yn lle llawer brafiach.

Brys oedd popeth wedyn. Nana'n ei wisgo mewn siaced a throwsus llwyd newydd.

'Ffitio di i'r dim,' meddai hi. 'Wel, ti'n ddigon o sioe, wir!'

Yna daeth ei fam i lawr y grisiau mewn costiwm ddu newydd a blows wen. Roedd o wedi dotio ati.

A phan ddywedodd o, 'Mami, dach chi'n edrach yn smart fel piodan!' roedd hi wedi chwerthin yn iawn.

Ond edrychai Nana yn drist. 'Yli, cyw,' meddai hi, 'ti'n mynd i aros efo Taid a Nain am 'chydig o . . .'

'Jyst tan fory, del bach,' meddai'i fam yn sydyn iawn.

'Dydw i ddim isio mynd.' Cododd ei ofn yn waeth. 'Dach chi'n clywad, Mami?'

'Iawn, iawn, 'nghariad bach i. Awn i jyst am y pnawn yma.'

'Ydach chi'n addo hynny?'

'Ydw, siŵr iawn.' Trodd ei fam at Nana. 'Fydd yr hogyn 'ma isio swper mawr pan ddown ni'n ôl heno. Iawn, Nana?'

Petrusodd Nana cyn ateb, 'Gaiff o lond un o'r platiau mwya.'

Gwenodd ei fam arno. 'Hynna wedi'i setlo. Ti'n hapusach rŵan, del?'

Pennod 4

Wedi i'r bws i Sir Fôn stopio wrth yr Arcadia, trodd Robat at ei fam. 'Mae hyn i gyd 'run fath â ddoe efo Nana – fel 'tase heddiw'n ddoe.'

'Piti na fase fo,' meddai'i fam yn ddigalon.

Roedd o wrth ei fodd yn croesi'r bont fawr, a syllu'n syn ar y môr oddi tano yn chwyrlïo rownd a rownd yn wyllt.

'Lawr fanna'n edrach yn beryg, Mami.'

'Wyddost ti be 'dyn nhw – pylla tro. Syrthia di i mewn i ganol un o'r rheina ac mi gei dy sugno i lawr o'r golwg am byth.'

Syllodd i lawr. Dim ond cipolwg, yna trodd ei ben i ffwrdd.

'Wna i ddim edrach ar yr hen ddŵr ofnadwy 'na.' Ond mi wnaeth bron yn syth wedyn fel 'tase gweld y peryg mawr, ac yntau'n saff wrth ymyl ei fam ar y bws, yn rhoi pleser rhyfedd iddo.

Doedd o ddim yn cofio pwy yn union oedd ar dop Tŵr Marcwis a wyddai ei fam ddim mwy amdano na'i fod o'n rhywun digon tebyg yn ardal Llanfair P.G. i fel roedd Arglwydd Penrhyn o gwmpas Bangor. Mwy pwysig iddi oedd cael dweud fel roedd Dadi wedi mynd â hi i'r top.

'Oeddech chi ofn yno, Mami?'

'Ofn? Faswn i'n meddwl, wir. Ac mi es i'n reit benysgafn a jyst â syrthio.'

'Peidiwch â mynd yno eto, plîs.'

'Wna i ddim, del bach.'

'Ond doedd Dadi ddim ofn?'

'Ddim o gwbwl. Mi afaelodd yn dynn iawn yno' i nes daethon ni i lawr i'r gwaelod yn saff.' Edrychodd arno cyn mynd ymlaen a sylwodd o eto ar y cochni newydd o gwmpas ei llygaid tlws.

'Yli, del bach, dw i isio iti fod 'run fath â fo . . . dim ofn petha, yn ddewr . . . byth yn crio. Wnei di?'

Nodiodd o. 'Dw i'n trio o hyd.' A dywedodd wrthi fel y brifodd ei fawd. Wedi iddo ddangos pa un, cusanodd hi hwnnw'n dyner gan sibrwd, '"Kiss it better", gei di weld mi wellith yn sydyn rŵan.' Ac roedd o'n coelio hynny.

Wedi pasio Llanfair P.G. rhedai'r lôn fawr yn syth. Sylwodd Robat fod ei fam yn sbio ar ddwy ochr y ffordd yn fwy nag o'r blaen, a bod golwg dristach ar ei hwyneb.

'Be sy? Dach chi ddim am fynd yn sâl ar y bws fel bydda i weithia?'

'O, na. Jyst cofio petha dw i. Cofio dod ar yr hen lôn yma gynta efo dy dad.'

'Yn y bws?'

'O, na – roedd gyn dy dad gar crand.' Gwenodd. 'Ford T. Y fo oedd un o'r cynta yn y dre i gael un. Sôn am fod yn *posh*!'

'A lle rôn i?'

'O . . . doeddet ti ddim yma . . .' Gwenodd. 'Ond doeddet ti ddim yn bell i ffwrdd.' A dechreuodd hi bwffian chwerthin.

'Hwnnw oedd y car fues i ynddo fo?'

'Ugeinia o weithia, ond roeddat ti'n rhy fach i gofio.'

'Dw i jyst iawn â medru . . .'

'Ella wir . . . cofio ni'n tri'n eista yn ffrynt y car a chditha'n trio gwasgu'r corn o hyd a gweiddi . . .'

'Dwi'n cofio – bab bab, Dadi, bab bab!'

'Mynd yn y car i'r Arcadia i weld Charlie Chaplin a Harold Lloyd . . . amser braf. Nefi wen! Sôn am chwerthin!'

'A doedd Dadi ddim yn pesychu'r amser hynny?'

'Fe aeth y car ar dân, wedyn fedrai Dadi ddim gweithio fel dyn tacsi. Ar ôl hynny aeth o'n sâl.'

Ddywedodd hi ddim mwy, ond syllodd allan ar y caeau, ei llygaid yn fwy coch byth ac yn sgleinio rŵan.

Gwagiodd y bws yn arw ym Mryn Menai. Dywedodd ei fam wrtho y byddai'r bws yn aros am dipyn yno ac y byddai'n well iddo fynd allan i sefyll yn y gwynt am ychydig. Ychwanegodd, 'Rhag ofn i ti fynd yn sâl ar y bws fel y gwnest ti pan aethon ni i Landudno.'

Aeth o allan a chymryd ei wynt yn hir fel roedd ei dad wedi dangos iddo, a throi'i wyneb at y gwynt nes bod hwnnw i'w deimlo fel llaw oer ar ei dalcen. Daeth y dreifar i lawr o'r bws a sefyll wrth ei ymyl. Goleuodd o sigarét gan syllu ar Robat.

'Nabod chdi, boi. Dy dad yn sâl 'tydi?'

'Ydi.'

'Ydi o'n well?'

'Wn i ddim.'

Sugnodd y dreifar ei sigarét nes bod ei blaen yn llosgi'n goch. Wedyn daeth y condyctor newydd atyn nhw. Roedd ganddo gyrtan o wallt melyn yn hongian o dan gap oedd wedi ei osod yn gam ar ei ben, ac a wnâi iddo edrych yn rêl boi. Wedi i'r ddau ddyn siarad a chwerthin am funud neu ddau a'r condyctor yn sbecian i mewn i'r bws, aeth y dreifar yn ôl i'w sêt. Cydiodd y condyctor ym mraich Robat a'i arwain at step y bws.

'Ti ddim am chwdu ar fy mws neis i, nac wyt?'

Ysgydwodd Robat ei ben.

'Hen hogyn iawn,' meddai'r condyctor wrth helpu Robat i mewn i'r bws. Prin roeddan nhw wedi dechrau codi sbîd wrth gychwyn i lawr yr allt hir y tu draw i'r pentre, pan ddaeth y condyctor i sefyll wrth Robat a'i fam.

'Heb dy weld di ers hir, Sal.'

'Brysur 'sti, Dei.'

Edrychai fel 'tase fo'n sbio ar ddillad newydd Mami. 'A sut mae . . . Glyn bellach?'

Disgwyliodd Robat yn awyddus i wybod beth fyddai ateb ei fam. Gwyliodd hi, heb symud ei phen, yn troi'i llygaid i syllu arno fo, ac yna yn eu troi nhw i syllu i wyneb y condyctor. A synnodd Robat nad oedd hi wedi dweud yr un gair yn ateb i'r dyn.

'Ie . . . wel . . .' meddai'r condyctor yn araf iawn, 'wela i di eto debyg. A chofia os medra i helpu . . .' Yna winciodd a doedd Robat ddim yn siŵr ai iddo fo ynte i'w fam roedd y winc.

Cael a chael oedd hi arno i gyrraedd y groesffordd lle'r âi o a'i fam i lawr o'r bws. Erbyn hynny roedd ei wyneb yn hollol lwyd a'r chwys yn oer a gwlyb ar ei dalcen. Mae'n rhaid bod y condyctor wedi sylwi achos mi symudodd yn sionc iawn at Robat a'i gario bron at step y drws ac i lawr i'r lôn. Daliodd Robat ei wefusau'n dynn, ac, er bod ei feddwl ar anadlu'n ddwfn sylwodd fod y condyctor yn helpu'i fam i lawr o'r bws hefyd.

Gwenodd ar Robat, a throi ati hi. 'Gyn ti hen hogyn bach iawn yn hwn. Cofia 'nghynnig i, Sal.' Nodiodd hithau. 'Diolch, Dei.' meddai hi mewn llais gwan.

'Ar ba fws ei di'n ôl?'

'Ddim yn rhy hwyr.'

'Fydda i ar hon eto chwarter wedi saith . . . os wyt ti isio sgwrs.'

'Ga i weld sut aiff petha.'

O'r tŷ cerrig llwyd ar y groesffordd i gyfeiriad cartref Taid a Nain rhedai lôn fach gul am ffordd bell trwy ganol caeau. Roedd golwg ddigon trist ar ei fam wrth gerdded ac ychydig iawn ddywedodd hi; hyd yn oed pan ofynnai o gwestiynau doedd hi weithiau ddim yn ei ateb o gwbl. Ond roedd o wrth ei fodd yn cael bod mewn lle oedd mor wahanol i strydoedd bychain gwaelod y dref. Pan âi'r lôn o dan glwstwr o goed mawr, tywyll, dychmygodd ei hun yn y jyngl yn dal llewod i'w syrcas. A phan fyddai yna ddim wal na gwrych rhwng y lôn a chae llydan hir, cowboi oedd o'n chwilio am ei geffyl.

'Piti, Mami, wnes i ddim dŵad â'r het a'r gwn.'

Ond daliodd hi i gerdded a syllu yn ei blaen heb ateb. Os oedd giât i'r cae, fe redai o i sbecio beth oedd ynddo a dotio at weld yr anifeiliaid. Gan ei bod hi'n ddechrau'r gwanwyn roedd yno heidiau o ŵyn yn llawn bywyd.

'Fedrwn i ddal lot o ŵyn bach i chi,' meddai o.

'I be?' gofynnodd hi.

Symudodd o i gwestiwn arall a gofyn beth oedd enw'r lôn. Atebodd hithau'i bod hi wedi anghofio. Aeth o ddim mor agos i'r giât lle roedd nifer o wartheg coch â phennau gwynion yn loetran.

'Mam, ylwch, gwartheg cowbois! Job i mi reidio un o'r rheina.' Syllodd arnyn nhw. 'Pa un 'di'r tarw, 'dwch?'

'Y mwya,' meddai hi heb droi i edrych. Ychwanegodd dan ei gwynt, 'Pa mor bell eto, dywad?' Ar y pryd roedden nhw'n pasio hen gwt wedi mynd â'i ben iddo.

'Be 'di enw hwn, Mami?'

'Nefi Wen! Robat, wnei di beidio holi gymaint? 'Ti ddim yn gweld 'mod i wedi f'ypsetio.' Pwysodd hances ar ei thalcen. 'Gofyn i dy daid. Ond 'dan ni dros hanner ffordd rŵan – diolch byth.'

Sylwodd wrth iddyn nhw nesáu at dŷ Taid a Nain fod ei fam yn dechrau cwyno fwy. Bellach roedd hi'n hanner cloff ac yn beio'r ffordd nad oedd ddim ffit i rywun efo 'sgidia newydd du neis a sodlau uchel arnyn nhw. Yna roedd y bag a gariai hi wedi mynd yn rhy drwm. Mistêc oedd rhoi cymaint o betha ynddo.

'Pa betha, Mami?'

'Be 'di'r ots, dywad! Maen nhw'n drwm ac yn y bag.'

Daeth y tro ola i'r golwg cyn yr allt fach at dŷ Taid a Nain.

Syllodd hi i'w lygaid. 'Difaru 'mod i wedi dŵad, del bach . . . ydw wir.' Roedd ei llais wedi newid.

Gafaelodd o'n dynn yn ei braich. 'Dw i efo chi.' Gwenodd yn braf. 'Ac mi gawn ni fynd adra heno ar bws . . . bws Dei, ia?' Daliodd hi i syllu arno. 'Ffrind Dad ydi o, ia?'

'Ia.' Newidiodd ei llais eto. 'Yli, byhafia ditha'n gall

efo Taid a Nain . . . paid â siarad gymaint, iawn?'

'Wna i ddim.'

'A phaid â chrio'n wirion – ti'n hogyn mawr rŵan.'

'Wnes i ddim ar y bws a finna'n swp sâl.'

'Naddo, del. A wnei di ddim efo nhw, na wnei?'

Ysgydwodd ei ben. 'Gewch chi weld.'

Wedyn roedden nhw'n pasio dau gae ei daid. Doedd o ddim yn cofio'r enwau arnyn nhw. Ond roedd o'n cofio'r cwt mochyn yn iawn a'r beudy wrth ei ymyl.

'Mae 'na *Austin Seven* wrth giât y cowt,' meddai'i fam, a'i llais yn swnio'n llai blin. Ond roedd gweld y tŷ llwyd eto'n llenwi'i feddwl o – yr olwg mor unig oedd arno a dim ond caeau a chloddiau o'i gwmpas. Doedd o ddim yn lecio golwg y lle o gwbl.

'Pa mor bell ydi'r Arcadia o fan'ma, Mami?' Chafodd o ddim ateb. Gofynnodd wedyn, 'Sut mae Taid a Nain yn medru byw yma pan mae'r dre mor braf?'

'Ych!' meddai hi. 'Paid â gofyn i mi sut.'

Pennod 5

Ond roedd y tu mewn i'r tŷ yn waeth o lawer. Doedd hi ddim yn wanwyn yno. Dim ond llond y gegin o bobl yn edrych yn ddigalon. Eisteddai Taid a Nain ar setl bren wrth y ffenest gyda'u cefnau ati, a wynebau'r ddau'n edrych fel 'tasen nhw wedi'u rhewi, yn syllu o'u blaenau ac yn dweud dim am adegau hir. A phan wnaethon nhw ddweud gair neu ddau swniai'u lleisiau'n rhy gryg neu'n rhy wan i siarad yn glir. Ddeallodd Robat ddim o'r hyn a ddywedodd Taid, ond medrodd glywed Nain yn dweud 'creadur bach'. Gan ei fod wedi clywed pobl yn ei alw fo'n hynny, meddyliodd yn syth mai amdano fo roedd hi'n siarad. Gwrandawodd yn astud i glywed beth fyddai'n cael ei ddweud nesa, ond chlywodd o ddim ond tician y cloc mawr a sŵn glo'n symud yn y grât. Yna cododd dynes tua'r un oed â'i fam – ond nid mor ddel – ar ei thraed.

'Dw i'n siŵr bod Sali a'r hogyn bach 'ma jyst â disgyn isio'u te.'

Synnodd weld Nain yn dod ati'i hun am eiliad i nodio a dweud yn gryg iawn, 'Ar y bwrdd bach yn y tŷ llaeth.'

'Ty'd ti efo dy Anti Mair,' meddai'r ddynes ifanc gan afael yn ei law. Gwyddai'n syth mai hi oedd chwaer Dadi.

Ac wrth iddo fo a'i fam ei dilyn o'r gegin cafodd gyfle i sbio ar y lleill oedd yno. Cofiodd wyneb un dyn – fo oedd Wncl Huw, brawd Dadi. Ond welodd o erioed y dyn ifanc arall na'r ddynes go hen wrth ei ymyl. Sylwodd fod ei fam wedi hanner gwenu arnyn nhw.

Cyn iddo fo a'i fam gael gwybod mai Misus Parri'r Post a'i mab Jac oedd y ddau ddiarth, roedd o wedi cael llond ei fol o sleisys tewion o fara brith a mwy na dau ddarn o frechdan jam efo cyrens duon yn lwmpiau mawr fel marblis blasus ynddo. Ychydig iawn fwytodd ei fam, ac er bod Anti Mair mor ffeind efo nhw ddywedodd ei fam bron ddim wrthi. Yna pan glywodd hi mai Jac Parri oedd piau'r *Austin Seven*, fe newidiodd ei fam a dechrau siarad.

'Chlywis i 'rioed am y Jac Parri 'ma, Mair.'

'Yn yr un dosbarth â Glyn yn y Cownti Sgŵl.'

'Rhyfedd, ond mae'r enw yn ddiarth i mi. Oeddan nhw yn y rhyfel efo'i gilydd hefyd?'

'Wnaethon nhw adael cartref i fynd i wersyll Kinmel ar yr un trên. Ond gwahanu wedyn, dybiwn i.

'Ac ar ôl y rhyfel?'

'Arhosodd Jac i gael gwaith tua ochra Llundain.'

Sipiodd ei fam ei the gan gydio yn ei chwpan yn ddel efo un bys a bawd, 'Ac yno mae o byth?'

'O, na. Job dda rŵan hefo'r Cownti Offisus yng Nghaernarfon. Wnaiff o a'i fam ddim aros yn rhy hir, ond mi fasa fo'n lecio cael gair efo chdi, dw i'n siŵr.'

Sipiodd Mami fwy o'i the. 'Gymra i ddarn bach o'r bara brith, plis.'

Ar ôl te fe gafodd Robat ei yrru i'r cowt i chwilio am y gath frech tra aeth Mami ac Anti Mair i siarad efo'r lleill yn y gegin. Cogiodd yntau ei fod yn India yn chwilio am deigar. Cafodd hyd i ffon go hir, a gan ei dal fel gwn o'i flaen aeth rownd y das wair a'r das wellt ar flaenau'i draed i chwilio am y gath frech. Chafodd o ddim hyd iddi ac aeth am y gegin i ddweud ei fod isio mynd i'r tŷ bach. Wrth nesáu at bortico'r tŷ clywodd sŵn lleisiau'n siarad ar draws ei gilydd. Ond yr eiliad yr agorodd y drws aeth pawb yn hollol ddistaw fel 'tasen nhw ei ofn o. Mi fuodd o'n hir yn y tŷ bach am ei fod yn teimlo'n annifyr yno. Roedd y cwt bychan ar ymyl y berllan mor wahanol i'r bathrwm yn nhŷ Nana. Pan ddaeth o'na o'r diwedd roedd yna gath frech fawr ar ben y das wellt yn y 'rardd ŷd yn gwenu arno. A pheth arall welodd o oedd ei fam a Jac Parri'n sgwrsio yn nrws y portico. Doeddan nhw ddim wedi'i weld. Wyddai o ddim beth i'w wneud – mynd atyn nhw ynte dringo'r das. Gwyliodd y ddau'n siarad yn ddistaw iawn ac yn edrych yn drist. Yna cododd y dyn ei lais, 'Wrth gwrs fe gewch chi.'

Fedrai o ddim clywed be ddywedodd ei fam, ond roedd hi wedi rhoi gwên fawr i'r dyn.

Roedd y pictiwr o'r ddau'n siarad yn y portico a gwên ei fam yn glir yn ei feddwl pan orweddai'n crio'n ddistaw yn y gwely bach yn yr hen dŷ llwyd hyll. Sut roedd Mami wedi medru bod mor frwnt â'i adael yno hebddi ar ôl addo peidio gwneud? A beth am Nana druan yn ei ddisgwyl efo llond platiad i swper? Ac mi fyddai Dei ar bws saith wedi'i siomi hefyd . . . Ond ar yr hen Jac Parri yna roedd y bai i ddechra – 'tase hwnnw heb gynnig mynd â hi i'r dre yn ei gar . . . a dyna roedd o'n ei 'neud yn y portico, 'rhen walch slei! . . . Wrth gwrs, Jac Parri feddyliodd am ei yrru o yn llaw Taid i weld yr ardd. A phan ddaethon nhw'n ôl i'r tŷ be welson nhw? Fod yr hen Jac Parri 'na wedi cymryd ei gyfle i fynd â Mami i'r dre yn yr *Austin Seven*. Dechreuodd ochneidio'n uchel wrth gofio sioc y foment pan sylweddolodd ei bod hi wedi'i adael yno hebddi. A be fyddai Dadi'n feddwl bod Robat heb ddod yn ôl ato? Roedd ganddo gymaint o biti drosto'i hun nes bod dagrau'n gwthio'u hunain dros ymylon ei lygaid. Disgwyliodd i weld sut y byddan nhw'n rhedeg ar ôl mynd dros ei fochau. Oedd posib iddyn nhw fynd i mewn i'w geg? Sut flas fyddai arnyn nhw? Cyn iddo ffendio'r ateb clywodd sŵn traed ysgafn yn dringo'r grisiau. Yna agorwyd drws y llofft yn ddistaw a sibrydodd llais neis Anti Mair, 'Robat Wyn, wyt ti'n effro?' Sychodd y dagrau'n sych efo llawes siaced ei byjamas, a chodi ar ei eistedd.

'Methu cysgu, ia, cariad?'

'Ia. Ga i ddod i lawr grisia efo chi?'

'Wel . . . yli mi fasa'n well gyn Nain i ti gysgu – cael gorffwys yn iawn, medda hi.'

Doedd o ddim isio clywed be oedd Nain wedi'i ddweud. A doedd o ddim isio'i gweld hi chwaith – fwy nag oedd rhaid iddo.

'Yli, cariad bach, dw i wedi dŵad â chwpaned o lefrith poeth i ti.'

'A siwgwr yno fo?'

'O, lot!'

Sipiodd beth o'r llefrith. '*Ovaltine* fydda i'n gael gan Nana.'

'Ia, wel . . .' Ddywedodd hi ddim mwy.

'Anti Mair, deudwch eto be ddeudodd Mami cyn mynd adra.'

'Y bydd hi yma ben bore fory i dy nôl di adra i'r dre.'

'Be arall?'

'Wel . . . i beidio â'i disgwyl hi ar ôl cinio, ond ei bod hi'n siŵr o gyrraedd yn y bore.' Roedd hynny'n ei blesio, ond yna cododd syniad annifyr yn ei feddwl.

'Efo bws ddaw hi, gobeithio?'

Gwenodd hi fel 'tase hi'n deall beth oedd yn ei boeni.

'Bws wyth o'r dre – mi fydd dy fam yma erbyn hanner awr wedi naw bore fory.'

Teimlai Robat yn llawer hapusach, ac yfodd y llefrith i gyd.

'Ia, mi gysgi di rŵan.' Gwasgodd hi'i ben-glin trwy'r blancedi. 'Siŵr bod y coesa bach 'ma wedi blino 'rôl cerdded yr holl ffordd o Dŷ Cerrig!'

Sut roedd dynes mor ffeind yn medru gwneud hwyl am ei goesau jyst fel y gwnâi pobol eraill?

'Cysga di, cariad bach,' meddai hi. Ac er ei bod yn gwenu teimlai Robat fod ei llygaid yn drist iawn.

'Mi wna i, Anti Mair – i mi gael breuddwydio 'mod i adra.'

Roedd Nain wedi gadael uwd yn y sosban iddo i frecwast. Ond wedi iddo ddweud wrth Anti Mair nad oedd o 'rioed wedi lecio uwd, fe sleifiodd hi frechdanau jam cyrens duon iddo'n ddistaw o'r golwg yn y tŷ llaeth. Hi hefyd ddywedodd wrtho mai Lôn Gweunydd oedd enw'r ffordd fach gul roedd ei fam ac yntau wedi cerdded ar hyd-ddi o Dŷ Cerrig i dŷ Taid a Nain y diwrnod cynt. Ac mai Bryndu oedd enw'u tŷ nhw. Yn syth ar ôl gorffen ei frecwast dywedodd ei fod am gychwyn ei hun i lawr Lôn Gweunydd i gyfarfod ei fam.

Mi glywodd Nain o. 'Chei di ddim mynd,' meddai hi yn yr un llais blin ag o'r blaen, 'nes gweli di do gwyn y bws wedi dod i lawr allt Bryn Menai.'

Roedd arno ormod o'i hofn i feddwl meiddio bod yn anufudd iddi. Felly aeth at giât y cowt i syllu tuag at allt Bryn Menai dair milltir i ffwrdd. Fuodd o ddim wrthi'n syllu'n hir pan ddaeth ei daid allan o'r beudy bach a dod ato gan wneud sŵn gwichian wrth gymryd ei wynt. Safodd wrth ysgwydd Robat yn syllu i gyfeiriad allt Bryn Menai, yn dweud dim fel 'tase gynno fo mo'r nerth i siarad. Pan wnaeth o sgwrsio roedd y geiriau'n swnio'n boenus iddo ac yn gryg iawn.

'Dacw fo, Robat.'

'Dw i'n ei weld o, Taid – jyst y to gwyn, 'te.'

'Sbia mynd mae o – fel cynffon cwningen yn dianc!'

Daeth Nain atyn nhw. 'Aros chwarter awr arall.'

Fedrai Robert ddim diodde derbyn y syniad o fwy o ddisgwyl.

'Ond dw i isio mynd rŵan,' meddai mor bendant ag y medrai.

Syllodd llygaid brown Nain arno. Diflannodd ei gwefusau wrth iddi wneud ei cheg yn lein syth hyll. Yna heb i lein ei cheg gamu o gwbl siaradodd.

'Dw i wedi deud be ddylet ti neud.'

Er i'r ysfa ddod drosto i grio yr eiliad hwnnw yn yr haul o'i blaen hi a Taid, rhwystrodd rhyw styfnigrwydd cryf o rhag gwneud. Trodd ei wyneb oddi wrthi, a chwilio am y ffon fu ganddo'r diwrnod cynt. Yn y diwedd cafodd hyd iddi wrth y das wair, ac aeth â hi at

Taid a Nain. Erbyn hynny roedd Nain wrthi'n bwydo'r ieir a Taid wedi plygu i bwyso'i ddwylo ar y wal isel rhwng yr iard a Lôn Gweunydd. Daliai i anadlu'n uchel, ond pan welodd Robat yn dod ato tynnodd glamp o wats arian o boced ei wasgod.

'Gei di gychwyn rŵan, Robat Wyn. Cofia . . .' Cafodd bwl sydyn o beswch. Yn syth cymrodd Nain y cyfle i siarad yn ei le.

'Cofia – dim pellach na'r ail dro. Ddylet ti fedru'i gweld hi'n dŵad o fanno. Os na weli di hi, fydd hi ddim yn dŵad, a thy'd adra'n syth. Dallt?'

'Mae hi'n siŵr o ddŵad. Ddeudodd hi wrth Anti Mair.'

'Wn i, ond wyddost ti ddim,' meddai Nain heb agor ei cheg.

'Cymer ofal . . . paid â gadael y lôn . . .' ac ailddechreuodd Taid besychu. Cododd Robat y ffon.

'Fydda i'n iawn, mae gyn i wn.'

'Ffon ydi honna,' meddai Nain.

Roedd cael camu oddi wrthyn nhw i gyd a haul y gwanwyn ar ei wyneb a'r ffon yn ei law yn deimlad braf. Yn arbennig o braf gan ei fod yn mynd i gyfarfod ei fam. Fyddai hi'n siŵr o synnu'n arw ei fod wedi mentro dod ar ei ben ei hun efo neb yn gafael yn ei law mewn lle digon diarth iddo. Wel, roedd o isio dangos iddi'i fod o'n ddewr ac yn gall ac yn rêl boi. Wrth gwrs, mi fyddai'n andros o syrpréis iddi. Roedd yn rhaid iddo wenu wrth ddychmygu'i hun yn rhedeg ati. Hithau â'i breichiau ar led yn barod i'w wasgu'n dynn i'w chesail.

Roedd yna bleser melys iawn o'i flaen.

Ychydig wedi iddo fynd heibio i'r tro cynta, ond cyn cyrraedd yr ail, daeth hen ddyn i'w gyfarfod. Stopiodd y dyn a gwenu arno.

'Helô, llanc, ti'n un diarth i mi. Be 'di dy enw di?'

Petrusodd cyn ateb, 'Robat Wyn.'

'Wel, dyna chdi enw da. A lle ti'n byw – neu'n aros – yma?'

'Efo Taid a Nain yn Bryndu. Ond dw i'n mynd yn ôl adra i'r dre heddiw.'

'Duw, ti 'rioed yn mynd am fws – fydd 'na 'run eto am ddwy awr.'

Wrth gwrs, hen ddyn heb fod yn gwybod digon oedd o. Dyna pam roedd o mor rong. Byddai'n rhaid dweud y gwir wrtho.

'Mae Mami ar y bws wyth o'r dre.'

'A mynd i'w chyfarfod hi wyt ti?'

'Ie, dyna dw i'n neud.'

Ysgydwodd y dyn ei ben yn araf. 'Ar hwnnw rôn i. Dim ond fi ddaeth i lawr yn Nhŷ Cerrig.'

Doedd arno ddim isio credu beth roedd y dyn yn ei ddweud. Gwelodd hwnnw y tristwch ar ei wyneb.

'Fydd hi ar y bws nesa, gei di weld. Yli, dw i'n mynd heibio tŷ dy daid, ty'd ti efo fi rŵan.' Gafaelodd y dyn yn ei law a gadawodd Robat iddo'i arwain yn ôl rownd y tro cynta.

'Dydw i ddim yn siŵr eto plentyn pwy wyt ti. Be 'di enw dy dad?'

Er ei fod o'n rhy ddigalon i siarad efo'r dyn, clywodd ei lais yn ateb, 'Glyn Lewis.'

Cerddodd y ddau yn eu blaenau am ddau neu dri cham heb i'r dyn ddweud dim, yna aeth i'w boced.

'Hwda, i chdi gael petha da yn siop post.'

Syllodd Robat ar geiniog ddu ar ganol ei law.

'Honna'n hen iawn, 'sti. Llun yr hen frenhines arni, 'weldi. Y hi oedd popeth pan ôn i'n ifanc – fel 'tase hi'n dduwies.'

Aeth llais y dyn ymlaen, ond doedd Robat ddim yn gwrando, nac yn medru meddwl am neb na dim. Ond bod ei fam heb ddod.

Pennod 6

Ychydig iawn soniodd y tri yn y tŷ am y peth. Anti Mair oedd wedi synnu fwyaf, a dywedodd falle y byddai'i fam yn cyrraedd hefo'r bws nesa. Ond ysgydwodd Nain ei phen. Fodd bynnag, roedd y falle'n ddigon i wneud iddo fynd eto at yr ail gornel yn Lôn Gweunydd. Bu'n disgwyl gan syllu'n ddi-stop ar y tro pella'n y lôn am hydoedd nes i Anti Mair ddod i'w nôl i gael ei ginio. Erbyn hynny roedd yna oerni annifyr yn crynu y tu mewn iddo. Gan mai ychydig o ginio fedrai o 'i fwyta roedd o'n falch bod Taid a Nain efo'r gweinidog yn y parlwr mawr.

Ar ganol pigo'i fwyd daeth ar draws y geiniog ddu ym mhoced ei drowsus. Pan dynnodd hi allan i edrych arni teimlai'n fwy digalon byth ac aeth y cryndod yn waeth. A gwyddai'n syth ei fod yn cysylltu'r geiniog â sioc y sylweddoli bod ei fam wedi'i siomi ac na welai mohoni'r diwrnod hwnnw. Doedd arno angen dim ar wyneb daear i'w atgoffa o'r poen hwnnw. Roedd yn rhaid cael gwared ohoni ar unwaith. Cafodd ei gyfle pan alwyd Anti Mair at y lleill yn y parlwr mawr. Rhedodd allan i'r cowt. Edrychodd o'i gwmpas yn wyllt i drio dewis lle i daflu'r geiniog o'i olwg am byth. Meddyliodd am ei gollwng i lawr y pydew lle câi'r teulu ei ddŵr. Ond gwyddai na allai godi'r caead pren trwm oedd arno. Edrychodd i fyny at doeau'r tŷ – roeddan nhw'n rhy uchel o lawer iddo allu taflu'r geiniog arnyn nhw. Yna cofiodd am y das wellt. Roedd ei thop hi'n ddigon uchel i fod o olwg pawb. Heb edrych ar y geiniog taflodd hi'n ddigon uchel iddi ddisgyn ar le gwastad ar ben y das. Doedd o ddim am weld honno byth eto, a theimlai fymryn yn well yn syth.

Wedi mynd yn ôl i'r tŷ eisteddodd yn ei le wrth y bwrdd. Doedd Anti Mair ddim wedi dod yn ei hôl. Wedi munud arall o ddisgwyl amdani dechreuodd bigo'r bwyd yr oedd wedi'i adael ar ei blât – dwy lwyaid go fawr o stwnsh rwdan a sleisen o facwn coch. Ymhen ychydig iawn fe gliriodd ei blât. Roedd wrthi'n sychu'i geg efo hances fach les ddel roddodd Mami iddo ag ogla sent arni, pan roddodd Anti Mair ei phen heibio i ymyl y drws i ddweud bod rhywun isio'i weld o. Er na fedrai feddwl am neb heblaw ei fam a'i dad a Nana yr hoffai'i weld, cododd oddi wrth y bwrdd yn ufudd ac aeth efo Anti Mair i'r parlwr.

Cwestiwn cynta'r gweinidog oedd gofyn ai Robat oedd yr hogyn bach dewr oedd byth yn crio. Wyddai Robat ddim beth i'w ddweud, a wnaeth neb arall ateb y dyn. Wedyn gofynnodd beth oedd enw Robat, ac am ryw reswm fedrai o ddim cael y gair cyntaf allan o'i geg. Taid atebodd mewn llais mor gryg fel bod y gweinidog wedi gofyn iddo ail-ddweud yr ateb. Wedi dweud ei fod yn enw da, gofynnodd a oedd Robat yn mynd i'r ysgol Sul. Pan fedrodd Robat, ar ôl dwy ymdrech, wthio'r gair 'na' o'i geg, syllodd y dyn efo'r goler wen gron braidd yn syn ar Taid a Nain. Syllodd Nain yn ôl arno, ac edrychodd Taid ar y papur wal fel 'tase fo'n anfodlon efo fo. Edrychai'r gweinidog yn llai ffeind rŵan. Roedd o'n sbio'n syth i lygaid Robat a gofynnodd mewn llais araf fel 'tase hwnnw'r cwestiwn pwysicaf ohonyn nhw i gyd.

'Ac wyt ti, Robat Wyn, yn mynd i fod yn hogyn bach sy'n helpu Nain a Taid?'

Ochneidiodd Robat i drio cael mwy o amser cyn ateb. Fedrai o fentro dweud y gwir wrth ddyn mor bwysig nad oedd o isio bod yno o gwbwl? A fyddai o ddim yno rŵan 'tase'i fam wedi dal y bws.

Byrstiodd yr ateb allan rhwng ei wefusau, 'Nag dw, wir!'

'Be ddeudodd y crwt?' Roedd y gweinidog yn edrych yn flin.

Edrychai Nain yn fwy blin na fo, ac roedd Taid yn crafu'i ben. Dim ond Anti Mair oedd yn edrych yn ffeind arno. Eglurodd hi mai nerfus oedd o, bod hynny'n troi'n atal arno, a bod ganddi hi hogan fach oedd wedi diodde 'run fath pan oedd hi'n fengach. Yna trodd at Robat a gwenu,

'Jyst nodia di dy ateb i'r gweinidog.'

Am mai hi oedd yn gofyn, ac am mai hi oedd yr unig un yn y tŷ roedd o'n ei lecio, ac am ei bod hi'n gwenu rŵan, fe nodiodd o.

'Da iawn,' meddai'r gweinidog. 'A dyma i ti rywbeth am fod yn hogyn da.' Gollyngodd bisyn chwech yn llaw Robat. Yna roedd Anti Mair yn ei arwain o allan o'r parlwr. Wrth fynd drwy'r drws clywodd lais Nain yn dweud ei fod o'n swil a llais y gweinidog yn ei alw'n 'greadur bach'.

Yn ôl yn y gegin dechreuodd Anti Mair ei ganmol am orffen ei fwyd, ond fe ruthrodd o allan i'r cowt. Aeth yn syth at y das wellt a thaflu'r chwecheiniog i'r lle gwastad arni. Eiliad wedyn clywodd sŵn tincian, a gwyddai fod y pisyn chwech wedi llithro i ddisgyn i'r un pant â'r geiniog. A gwnaeth hynny iddo deimlo'n fodlon.

Mae'n rhaid fod Anti Mair wedi cael sgwrs efo Nain, achos cafodd adael y tŷ'n gynnar ar ôl golchi'r llestri cinio, ac aeth Anti Mair ac yntau i ddal y bws bach i Langefni. Eglurodd wrtho mai dim ond ar ddydd Iau a dydd Sadwrn y byddai'r bws yn rhedeg o Rosceinwen ar y lôn bost a âi heibio'r tŷ. Roedd cael mynd i ffwrdd ar y bws wedi gwneud iddo deimlo'n llai digalon o lawer. Beth wnaeth y trip yn well byth oedd bod Anti Mair wedi dangos lot o bethau diddorol iddo ar y daith. Wrth fynd trwy bentref Taid a Nain dangoswyd iddo Siop y Post lle byddai ei dad neu ei fam yn ffonio neges bwysig weithiau i Taid a Nain. Wedyn gwelodd yr ysgol lle roedd ei dad, Anti Mair ac Wncl Huw wedi mynd yn blant bach. Dywedodd yntau fod ei ysgol o yn y dref yn llawer iawn mwy.

'Felly wir,' meddai Anti Mair, 'wel, rŵan 'ta, llanc, mi weli di rywbeth mwy na dim byd tebyg iddo fo yn y dre.'

Roedd ei llygaid yn gwenu, a gwyddai Robat ei bod hi'n ei bryfocio. Ond methodd â dyfalu beth fedrai fod mor fawr nes iddi bwyntio at gae anferth.

'Cae'r Hafod,' meddai, 'y cae mwya rhwng Llangefni a'r môr!'

'Ia, ond pa fôr, Anti Mair?'

'Unrhyw fôr yn y byd i gyd!' A dyma'r ddau'n dechrau chwerthin.

Pan ddywedodd hi mai capel Taid a Nain a'r gweinidog roeddan nhw'n mynd heibio iddo, fe achosodd hynny iddo deimlo'n ddigalon eto. Wyddai o ddim pam yn syth. Yna cofiodd, a gofynnodd gwestiwn i Anti Mair a oedd yn boen iddo. Cysurodd hithau o trwy ddweud doedd ganddo ddim i boeni amdano – byddai'r atal yn ei adael wrth iddo dyfu, a chlywodd hi erioed am neb yr oedd ei atal wedi gwneud iddo besychu'n ofnadwy.

'A pheth arall,' meddai hi, 'dydi o byth arnat ti, siŵr, ond pan wyt ti'n nerfus iawn. Fe fu Lisabeth ni'n union 'run fath. Ac rôn i'n meddwl yn y parlwr mawr gynna, pan ddechreuist ti beidio ateb, mai rhwbath 'dach chi'ch dau wedi'i gael gyn Taid ydi o.'

Treiodd Robat feddwl yn gyflym am rywbeth erioed a roddodd ei daid iddo. O gofio mai dim ond rhyw bum gwaith y cofiai ei weld yn ei holl fywyd, yr ateb oedd dim. Roedden nhw wedi cyrraedd y lôn bost fawr. Bellach roedd yna fwy o geir a bysys, a dynion yn mynd efo'u hanifeiliaid. Gwelodd Robat ddyn efo hogyn bach pen melyn a chi du a gwyn yn gyrru nifer o wartheg o'u blaenau. Roedd gan y ddau ffon reit hir. Meddyliodd

Robat mor braf base cael mynd 'run fath â'r hogyn gwallt melyn ond fod Dadi efo fo. Wrth gwrs, fyddan nhw ill dau ar gefn ceffylau ac yn gwisgo hetiau.

'Wedi bod yn y ffair maen nhw.' Pwyntiodd ei fodryb i gyfeiriad nifer o dai yn y pellter. 'A dacw i ti Langefni – lle dw i'n byw efo dy Wncl Wil a dy gneither, Lisabeth. Ond wnest ti 'rioed eu cyfarfod nhw, naddo?'

'Naddo.' Ychydig iawn o deulu'i dad roedd o'n eu hadnabod. Doeddan nhw – heblaw am Dadi, wrth gwrs – ddim cweit yn cyfri cymaint â phobl y dref. Ychwanegodd, er mwyn bod yn driw i'w dad yn fwy na dim, 'Ond dw i wedi clywed amdanyn nhw lot fawr o weithia.'

'Do, wir? Wel, erbyn amser te heno mi fyddi di wedi cyfarfod y ddau gobeithio.'

Daeth stwmp hen dŵr cerrig ar ddarn o graig i'r golwg ar ochr bellaf y dref. Eglurodd Anti Mair mai sgerbwd hen felin wynt oedd yno a bod yna lawer ohonyn nhw ar yr ynys.

'Rhaid iti gofio, Robat bach, mai lle gwyntog ydi'r hen ynys 'ma. A does gynnon ni ddim mynyddoedd fel sy gynnoch chi dros y bont i'n cysgodi ni rhag unrhyw wynt o gwbwl.'

'Ond oes gynnoch chi le pictiwrs yma hefyd, Anti Mair?'

'Sinema ti'n feddwl, 'te?'

Nodiodd o, ''Run fath â'r Arcadia.'

'O, oes. Mae 'na un yn Llangefni.'

Goleuodd ei wyneb. 'Gawn ni fynd yno heddiw – plîs?'

Er iddi wenu arno, ysgwyd ei phen wnaeth hi.

'Gei di fynd ond nid heddiw – nid 'rwythnos yma, cariad bach. A pheth arall, mi fyddi di'n rhy brysur yn cyfarfod dy Wncl a dy g'neither. Hithau'n hoff o'r sinema. Dw i'n meddwl y gwnei di'n iawn efo Lisabeth . . . gobeithio, wir. Mi fase'n neis 'tase chi . . . ond cofia, mae hi'n medru bod yn dipyn o fadam pan lecith hi.'

Wyddai o ddim beth oedd hi'n ei feddwl, a phan welodd hi'r dryswch ar ei wyneb, eglurodd, 'Mae hi'n lecio bod yn fòs. Paid ti â gadael iddi'n rhy aml.' Gwenodd arno. 'Does dim isio i ti boeni, mae hi'n hogan reit glên i ddeud y gwir.'

Pan gerddodd Lisabeth a'i thad i mewn i dŷ Anti Mair yn Llangefni ar ddiwedd y prynhawn hwnnw, mi ddywedodd o helô wrth Robat, ond fe aeth hi ar unwaith at y bocs lle byddai'n cadw ei theganau.

'Mam!' meddai hi'n syth, 'mae rhywun wedi bod yn chwara efo 'nhois i. Hwn, debyg?'

'Yli, del,' meddai'i mam, 'mae dy gefnder bach wedi bod yn disgwyl amdanat ti ers awr a hanner. Roedd rhaid i Robat neud rhywbeth, siŵr.'

'Fedrai o ddim darllen, 'dwch?'

Aeth llais Anti Mair yn fwy cas nag roedd o wedi'i glywed erioed. 'Dw i'n synnu atat ti, Lisabeth. Mae Robat yn perthyn i ti – paid ti â bod yn ddim ond ffeind efo fo.' Trodd at ei gŵr.

'Dywed ti wrthi, Wil.'

Symudodd Wncl Wil fymryn ar ei bapur newydd, ac meddai heb dynnu'r sigarét o'i geg,

'Ia, paid, Lisabeth.'

'Cerwch i chware'n neis yn yr ardd gefn,' meddai Anti Mair. 'Iawn?'

Ddywedodd Lisabeth ddim ond mi gerddodd at ddrws cefn y tŷ ac aeth Robat ar ei hôl. Wedi cyrraedd yr ardd arhosodd hi a syllu arno. Sylwodd o'n siomedig ei bod hi'n dalach na fo – ond dim llawer.

'Dw i'n fwy na blwyddyn a hanner yn hynach na chdi. Felly dw i'n gwbod mwy na chdi, yn tydw?'

Meddyliodd o dros hyn cyn ei hateb.

'Ella dy fod ti, Lisabeth.'

'Ella, wir!' meddai hi gan godi'i llais. 'Reit 'ta, boi bach, dywad dy *two-times table*!'

Ddaeth dim sŵn o'i geg am hanner munud, fel 'tase'r geiriau'n cael eu mygu yn ei wddf. Ond pan ddechreuodd hi wenu yn ei wyneb, cododd ei dymer gan lacio rhywbeth y tu mewn iddo. Byrlymodd geiriau'r *two times* o'i geg yn ribidires undonog nes cyrraedd stop llwyr wrth *seven twos are . . . Seven twos are . . .*' meddai o am yr ail dro, ac wedyn am y trydydd tro. Tynnodd anadl ddofn cyn mentro. '*Seven twos are sixteen . . .*' Erbyn hyn roedd Lisabeth yn chwerthin dros yr ardd, ac yntau'n gwybod yn iawn mai cael hwyl am ei ben yn methu roedd hi. Teimlodd ei fochau'n llosgi a daeth yr ysfa drosto i dynnu'i gwallt, ond wrth iddo gychwyn i gymryd cam yn nes ati agorwyd drws cefn y tŷ a daeth Anti Mair i'r golwg. Roedd gwên fawr ar ei hwyneb.

'Rôn i'n siŵr y base chi'ch dau'n ei tharo hi'n iawn efo'ch gilydd.'

Pennod 7

Ar y bws bach yn ôl i dŷ Taid a Nain ceisiodd Robat ddyfalu sut roedd yn bosib i rywun mor neis ag Anti Mair gael hogan mor annifyr â Lisabeth. Y broblem oedd medru dweud hynny wrth ei fodryb heb ymddangos yn hen hogyn bach cas. Ac er ei fod yn ysu i gael dweud wrthi, yn y diwedd penderfynodd fod Anti Mair yn rhy neis i fentro ei hypsetio, a ddywedodd o ddim un peth drwg am ei hen Lisabeth hi. Falle, gobeithiai, ddeuai o ddim ar ei thraws byth eto. A pheth arall, roedd ganddo fater pwysicach ar ei feddwl – cael gweld ei fam yn dod i'w nôl adre fory.

Soniodd o ddim am ei obaith wrth Taid a Nain yn ystod yr ychydig funudau y gwelodd nhw cyn mynd am ei wely. Roedd hefyd wedi oedi codi'r mater efo Anti Mair ar y bws ac wedyn, nes daeth hi i'r llofft i ddweud nos dawch wrtho. Cytuno wnaeth hithau fod gobaith i'w fam ddod, ond falle'i bod hi'n brysur iawn ac iddo beidio ag edrych ymlaen gormod.

Ond edrych ymlaen wnaeth o nes y syrthiodd i gysgu. Yn fwy fyth yn y bore pan welodd y postmon yn dod at y tŷ gyda llond ei law o lythyrau. Teimlai'n siŵr y byddai un oddi wrth ei fam yn dweud ar ba fws y deuai hi arno. Ond, heblaw am un i Wncl Huw, i Taid a Nain oedd pob un o'r llythyrau.

Fedrai o ddim coelio y byddai diwrnod – o amser codi tan amser gwely arall – yn gorfod digwydd heb iddo fod efo'i fam. Felly disgwyliodd amdani drwy'r bore hir a'r prynhawn hirach, yn methu â rhoi'i feddwl ar ddim rhwng amserau'r bysiau ond pryd y byddai'r bws nesaf yn cyrraedd Tŷ Cerrig.

Gan fod yna ryw bobl wedi galw i weld Taid a Nain bob hyn a hyn drwy'r dydd, a gan fod Anti Mair yn deall sut roedd o'n teimlo, cafodd ryddid i fynd at yr ail dro yn Lôn Gweunydd i gyfarfod ei fam bedair gwaith. Ar ôl cael ei siomi'r tri thro cyntaf aeth o ddim cyn belled y tro ola. Un rheswm oedd bod ei goesau a'i draed yn brifo i gyd. A'r rheswm arall oedd ei fod wedi mynd yn rhy ddigalon i gerdded yn bell eto. Setlodd ar fynd i'r gornel gyntaf lle gallai weld darn syth o'r lôn yn rhedeg at yr ail dro. Cafodd hyd i bant bach yn y clawdd ac eisteddodd yno i ddechrau disgwyl gan deimlo fod ganddo fawr o obaith ar ôl. Tyfai sawl clwstwr o flodau bach melyn ar waelod y clawdd wrth ei ymyl, ac roedd yna sŵn adar yn brysur yn y cloddiau o'i gwmpas. Ond doedd fawr o ots ganddo amdanyn nhw na'r blodau. Roedd ei fam wedi'i siomi unwaith eto ar ôl yr holl edrych ymlaen at ei gweld. Rŵan mi fyddai'n rhaid iddo ddechrau'n syth i drio edrych ymlaen at fory arall, gan orfodi'i hun i gredu na fyddai hwnnw'n troi i fod yn heddiw siomedig unwaith eto . . . Teimlai law mân ysgafn ar ei wyneb, a chlywai lais Anti Mair yn galw'i enw o'r tu draw i'r gornel gyntaf. Symudodd o ddim, fel petai'r lle yn help iddo ddal ei anhapusrwydd. Yna daeth hi i'r golwg yn cario ymbarél. Brysiodd hi ato.

'Be ti'n 'neud yn fan'ma Robat Wyn? Mae hi'n bwrw ers deng munud.' Gafaelodd yn ei benglinia a'u rhwbio. 'O, mae dy goesa bach gwyn di'n rhewi. Ty'd i gael diod – jyst ni'n dau yn y tŷ llaeth.' Helpodd o i godi ar ei draed, a gan afael yn dynn yn ei gilydd dan yr ymbarél cychwynnodd y ddau yn ôl am y tŷ.

'Lecio ynghanol y briallu yn y glaw oeddat ti?' Gwenodd arno.

'Ddaw hi fory, Anti Mair – ddaw hi?'

Cymrodd ei fodryb ei gwynt yn hir cyn ei ateb.

'Wn i ddim am fory. Dydd Sul faswn i'n deud.'

'Pam ddim fory?' Yn syth roedd o'n difaru gofyn fel 'tase fo'n tybio y byddai'r ateb yn perthyn i'r tristwch dwfn roedd o'n ofni gwybod y gwir amdano.

Edrychodd hi i'w wyneb, 'Wel . . . ia, ella daw hi fory . . . ella.'

Wedi iddo yfed llond cwpan o lefrith poeth efo dwy lwyaid o siwgr ynddo, a bwyta sleisen fawr o fara a'r menyn cartre'n dew arni a jam cyrens duon yn lwmpiau i gyd ar ben hwnnw wedyn, roedd o wedi cynhesu ac yn teimlo'n well. Roedd y glaw wedi peidio a haul gwan min nos yn brafio'r lle. Aeth yntau allan efo'i ffon i chwilio am y gath frech fawr oedd mor anodd ei dal. Fe gafodd gip arni'n sleifio i mewn i'r dail poethion a dyfai ar ben y wal rhwng y tŷ bach a'r beudy. Cofiodd Nain yn ei rybuddio fod hon yn hen gath flin oedd heb arfer efo plant ac yn debyg o'i gripio. Felly, gan ei bod hi'n beryg fel teigar, roedd yn rhaid iddo ffendio'i wn. Cafodd hyd i'r ffon wrth ddrws y beudy, ac roedd o newydd ei chodi pan welodd ddyn ar gefn beic yn nesáu at y tŷ o gyfeiriad y pentref. Wrth i'r beic arafu sylweddolodd Robat mai'r hen weinidog a achosodd iddo gael atal oedd ar ei gefn. A'r llall a wnaeth hynny, meddyliodd yn gyflym wrth ruthro am ddrws y sgubor, oedd Lisabeth annifyr. Wedi cau'r drws yn wyllt ar ei ôl, swatiodd yn yr hanner tywyllwch ar bentwr o sachau gweigion wrth ymyl bocs pren mawr a chaead arno. Ar ben y bocs roedd dysgl fach wen, a gwyddai mai bocs bwyd yr ieir oedd o. Roedd yna ogla digon tebyg ar y bocs a'r sachau – ogla diarth, braidd yn annifyr fel yr ogla ar y nyrs honno . . . Oedd ei dad wedi stopio pesychu? . . . Roedd Taid yn pesychu'n arw yn y nos . . . Oedd Taid yn cael rhew hefyd? . . . Oedd ei dad yn dal i . . .? Gorfododd ei hun i beidio â meddwl amdano. Os oedd yn troi'i gefn at y bocs roedd yno ogla gwahanol . . . tatws a rwdins! Gallai weld dwy domen isel ohonyn nhw yn erbyn y wal bellaf . . . Roedd hi'n tywyllu. Bellach roedd yn anodd iddo weld fawr o wahaniaeth rhwng y tatws a'r rwdins. Oedd ei dad ers talwm wedi cuddio yno fel hyn rhag cael ei ddwrdio gan Nain . . .? Clywodd sŵn rhywbeth bach ysgafn yn rhedeg, a gafaelodd yn dynnach yn ei wn. Yna, pan glywodd sŵn gwichian o ddau wahanol gyfeiriad, cododd y gwn yn barod. Doedd cowboi oedd yn dal anifeiliaid gwylltion yn Affrica ddim ofn llygod bach, dywedodd wrtho'i hun. Er hynny, roedd o'n ddigon balch na chlywodd o ddim sŵn gwichian na symud wedyn.

Y peth nesa glywodd o oedd lleisiau pobl yn sgwrsio. Agorodd ei lygaid, a chofiodd ei fod yn y sgubor. Wrth drio codi ar ei draed methodd, a fedrai o weld dim ond tywyllwch. Yna sylweddolodd ei fod yn gorwedd yn ei wely yn y llofft fach. Deuai sŵn y lleisiau o'r lôn bost wrth ffrynt y tŷ. Wedi neidio o'r gwely aeth at y ffenest a gwelodd Taid a Nain, Anti Mair ac Wncl Wil yn siarad wrth y fan las. Suddodd ei ysbryd yn syth pan welodd Anti Mair yn dilyn Wncl Wil i mewn i'r fan ac yn cychwyn i ffwrdd i gyfeiriad y pentref a Llangefni. Sut roedd posib iddo feddwl am wynebu byw yn y tŷ hebddi hi. A pham roedd hi wedi'i adael o mor slei bach yn y nos fel hyn – a heb ddweud ta-ta na dim. Y hi o bawb! Wyddai o ddim at bwy i droi bellach. Neb oedd yr ateb. A wyddai o ddim beth i'w wneud, heblaw fod rhaid iddo ddianc oddi yno rywsut i gyrraedd ei fam. Ond roedd o wedi blino'n ofnadwy – gormod i fedru symud o'r tŷ y noson honno. Mi fyddai'n teimlo'n well yn y bore ac mi fyddai'n haws o lawer iddo ffendio'i ffordd i'r dre yng ngolau dydd.

Roedd wrthi'n trio cofio sut y dylai fynd 'rôl cyrraedd croesffordd Tŷ Cerrig pan sylwodd fod yna oleuni'n dangos trwy ddrws hanner agored y llofft. Daeth sŵn camau distaw Nain yn nhraed ei sanau'n dringo'r grisiau. Gobeithiai na fyddai hi'n dod ato. Ond dod at ben ei wely wnaeth hi a dal y gannwyll fel y gallai weld ei wyneb yn glir. Ac er bod y golau'n dyner, fe drodd ei wyneb fymryn oddi wrtho. Daeth ei llais â sŵn caled iddo.

'Wyt ti'n iawn?'

'Ydw.'

'Wnest ti beth ffôl. Paid byth â chysgu yn y sgubor eto. 'Ti'n 'nghlywad i?'

'Ydw.'

'Mae 'na lygod mawr yno weithiau. Ond yn waeth – mae'r hen sacha yna'n damp.' Oedodd cyn mynd ymlaen. 'Rydan ni wedi cael hen ddigon o salwch yn y teulu 'ma'n barod . . . A dydw i ddim isio gweld un arall ohonoch chi'n colli'ch iechyd.' Gosododd ei llaw ar ei dalcen, a meddyliodd yntau mai ogla sebon golchi dillad oedd arni ac nid sebon *Lux* fel oedd ar ddwylo'i fam a Nana. Pan dynnodd ei llaw i ffwrdd tybiodd ei bod hi am ddweud nos dawch. Ond wnaeth hi ddim, a phan siaradodd swniai'i llais yn fwy caled byth.

'Tra byddi di yma – mewn gwely y byddi di'n cysgu ac nid yn unman arall. Cofia hynny.'

'Wna i.'

Trodd tuag at y drws.

'Cysga rŵan 'ta,' meddai wrth gyrraedd y drws, a'r golau'n mynd o'i blaen gan daflu'i chysgod yn ddu drosto fo a'r gwely. Yna fe ddiflannodd gan adael y drws yn hanner agored ar ei hôl, heb roi ei bysedd trwy'i gyrls, heb roi sws iddo na dweud nos dawch hyd yn oed. Mor wahanol y base Mami neu Nana wedi bod. Ond hitiwch befo, roedd yna fory i ddŵad, ac roedd yn rhaid iddo fod yn ddewr a mentro a mynd. Gwell byth 'tase'i fam yn dod i'w nôl. Sut bynnag byddai hi, roedd am edrych ymlaen at gael dianc oddi yno.

Yng ngolau dydd, fodd bynnag, doedd ei benderfyniad i redeg i ffwrdd ar ei ben ei hun ddim llawn mor gryf. Roedd gweld yr anawsterau yn gliriach yn y goleuni fel petai wedi lleihau'i ddewrder.

Roedd newydd olchi'i wyneb, ei wddf, ei glustiau a'i bengliniau pan ddaeth y postman at ddrws y portico efo llond ei law o lythyrau ond, unwaith eto, doedd 'run ohonyn nhw iddo fo.

I wneud pethau'n waeth fe osododd Nain lond dysgl fach o uwd iddo i'w frecwast. Tra edrychai o ar yr uwd yn ddigalon, safodd hi ar ganol llawr y gegin mewn het ddu anferth yn ei wylio.

'Hwnna roith faeth i ti – a'r Duw Mawr a ŵyr dy fod ti'i angen o.' Symudodd yn nes ato, gan ddal y llythyrau heb eu hagor yn un llaw tra oedd y llall wrthi'n gwthio pin hir i mewn i'r het – neu i mewn i'w phen. Disgwyliodd o iddi weiddi mewn poen. Yn lle hynny clywodd ei llais yn glir wrth ei glust.

'Dydw i ddim am weld y mymryn lleiaf o'r uwd 'na ar ôl.'

Cododd hanner llond llwy at ei geg. Doedd o ddim yn lecio'r ogla na'r blas a thynnodd wyneb i ddangos hynny.

'A chyn i ti ddeud dim, mae yna hen ddigon o siwgwr ynddo fo. Ty'd, byta fo.'

Wedi'i wylio'n codi dwy hanner llwyaid arall, aeth hi'n syth i'r parlwr mawr. Erbyn iddi ddod yn ôl ato roedd o wedi gwagio dwy lwyaid fawr o'r siwgr am ben yr uwd, ac wedi tywallt llefrith wedyn i guddio'r siwgr. Wrth iddi nesáu at y bwrdd sylwodd Robat ei fod wedi gadael llwybr o siwgr ar y lliain bwrdd o'r ddysgl siwgr at ei ddysgl uwd. Gwyddai y byddai hithau'n sylwi arno hefyd a theimlodd ei wyneb yn cochi wrth ddisgwyl iddi ddweud y drefn yn gas wrtho. Pan siaradodd hi roedd ei llais yn ddistawach.

'Gorffan o, Robat.' Gwelodd fod y llythyrau yn ei llaw a bod dau wedi'u hagor a bod ei llygaid yn edrych yn wlyb.

'Fedra i ddim bwyta ddim mwy, wir, Nain,' mentrodd ddweud mor bendant ag y medrai.

'Cofia'i orffan o efo dy ginio.'

Daeth sŵn corn car o'r lôn bost wrth y tŷ.

'Maen nhw yma!' meddai hi'n fwy wrthi ei hun nag

wrth neb arall gan gipio côt ddu hir oddi ar gefn cadair. Prin roedd hi wedi gweiddi 'Tomos Tomos!' o ddrws y portico nad oedd Taid yn croesi ati o'r ardd ŷd yn anadlu'n swnllyd.

'Ti'n dallt y bydda i'n ôl i neud y godro heno?'

Nodiodd Taid. Trodd Nain at Robat.

'A sut medri di helpu Taid tra bydda i o'ma?' Fedrai o yn ei fyw feddwl sut i ateb. 'Wrth fod yn blentyn ufudd a gwneud . . .'

Ond doedd o ddim yn gwrando wrth weld Anti Mair yn cerdded at y drws. Yr eiliad nesaf trodd ei hapusrwydd yn siom pan welodd fod Lisabeth yn ei dilyn.

Pennod 8

Cyflym iawn y digwyddodd pethau wedyn, un peth ar ôl y llall yn gyrru'i deimladau i fyny ac i lawr a'i feddyliau'n methu dygymod â'r argraffiadau ansicr a ddeuai iddo. A thu ôl i'r cwbl roedd yr hen ofn bod yr holl symud ac ymddygiad diarth pawb i'w wneud â'r tristwch mawr roedd o'n osgoi'i wynebu. Fedrai o ddim peidio gofyn cwestiynau yn ei feddwl dryslyd. Pam roedd Anti Mair, ar ôl dod yn ei hôl, wedi mynd yn syth i ffwrdd efo Nain ac Wncl Wil yn y fan las? A pham roedd y tri mewn dillad dydd Sul? A pham ei adael o efo Taid – oedd prin yn dweud gair wrtho – a'r hen hogan gas 'na? A beth yn y byd oedd yn cadw Mami a Nana – yr oedd o'n eu caru gymaint – rhag dod i'w nôl adra o'r hen dy hyll 'ma? A hynny wedi i'w fam addo ac addo. Wyddai hi faint roedd hi'n ei frifo? 'Tase hi ond yn gwybod faint o weithiau y cerddodd o i lawr Lôn Gweunydd a dod yn ei ôl bob tro isio beichio crio, ond ei fod o ddim isio dangos hynny i'r lleill ac iddyn nhw feddwl ei fod o'n fabi. Ond fe hen flinodd ar drio bod yn ddewr – hyd yn oed er mwyn Mami.

Aeth o a Lisabeth i'r lôn bost i wylio'r fan wrth iddi fynd i gyfeiriad y pentre. Fe drodd Anti Mair ei phen i edrych yn ôl ar y tri ac roedd hi wedi codi'i llaw yn iawn arnyn nhw. Ond edrychodd Nain ddim yn ôl hyd yn oed.

Wedi i'r fan ddiflannu, wynebodd Taid y ddau blentyn. Meddai mewn llais araf, 'Ylwch chi'ch dau – mae isio i chi addo i mi y byddwch chi'n blant da rŵan. Wyt ti'n addo, Lisabeth?'

'Ydw, siŵr iawn, Taid.'

'Robat Wyn?'

'Ydw,' meddai, gan sylweddoli ei fod yn fwy na thebyg yn dweud anwiredd. Ac edrychodd Taid arno fel petai'n amau'r ateb.

'Ia, wel dw i'n dibynnu ar dy gyfnither i gadw cow arnat ti.'

Gwenodd Lisabeth.

'Peidiwch â phoeni, Taid, dw i'n hynach na fo, felly mi fydd raid iddo 'neud yn union fel dw i'n deud, yn bydd?'

I Robat roedd y diwrnod yn barod wedi dechrau fel un o rai gwaetha'i fywyd.

Cafodd Taid drafferth i glirio'i wddw cyn medru ateb Lisabeth. A doedd Robat ddim yn synnu achos doedd o erioed o'r blaen wedi clywed Taid yn dweud cymaint o eiriau efo'i gilydd. Pan siaradodd o nesaf roedd llais Taid yn llawer gwannach.

'Ti'n iawn . . . Lisabeth. Ond gofala ditha amdano . . .' Mwy o drio clirio'i wddw a threio poeri. 'Ac yli, Robat, mae Nain 'di deud – gad lonydd i'r gath frech . . .' Roedd o'n pesychu rŵan nes bod ei frest yn gwichian.

'A dim . . . ti'n clywad . . . Dim mynd i lawr Lôn Gweunydd.'

Cododd tymer Robat.

'Ond rhaid i mi fynd i gyfarfod Mami!'

Erbyn hyn roedd pesychu Taid yn ei rwystro rhag dweud gair ond medrodd ysgwyd ei ben.

'Peidiwch â phoeni, Taid, wna i watsio wnaiff o ddim,' meddai Lisabeth yn fòs i gyd. Wel! doedd hi ddim yn mynd i'w stopio fo, meddyliodd Robat, rhag mynd i lawr Lôn Gweunydd.

'Hy!' meddai, gan godi'i lais. 'Fase Tom Mix hyd yn oed ddim yn fy stopio i!' Cododd ei lais yn uwch eto, 'A wnei di ddim byth chwaith!'

Gwaeddodd hithau, 'Gei di weld, boi bach!'

'Hogia, tewch wir!' meddai Taid yn trio gweiddi er

bod ei geg yn swnio fel 'tase hi'n llawn o wadin. 'Peidiwch â ffraeo o hyd! 'Dach chi isio gwneud Taid yn ddyn sâl ofnadwy?'

'Nac oes, siŵr iawn,' atebodd Lisabeth yn syth. 'Ddrwg gyn i Taid . . . ac mae'n ddrwg gan Robat Wyn.'

Ddywedodd Robat ddim gair.

'Dywad ti'r un fath, hogyn,' meddai Taid.

'Sori, Taid a Lisabeth,' meddai yntau'n ddigon swta.

'Gwell o lawer. Awn ni'n ôl i'r tŷ.' Swniai llais Taid yn gliriach eto. Aeth yn araf am y tŷ ond arhosodd Lisabeth ar ganol y cowt a Robat efo hi. Edrychodd y ddau'n anesmwyth ar ei gilydd am ennyd, yna gwenodd hi.

'Dw i wedi dŵad â phêl efo fi. Fasat ti'n lecio chwara pêl?'

'Ella . . . ga i weld.'

'Ac yli.' Tynnodd fag bach gwyn o boced ei chôt. '*Mint Imperials*. Gei di un rŵan ac un arall ar ôl cinio.'

Agorodd geg y bag iddo. Wedi petruso cymrodd un a'i wthio i'w geg. Gwnaeth hithau 'run fath. Roedd hi'n gwenu arno rŵan a'i llygaid yn edrych yn ffeind a'i gwallt melyn byr yn edrych yn ddel yn yr haul. Falle wedi'r cwbwl y câi hi ddod efo fo i gyfarfod ei fam . . . Clywodd sŵn Taid yn pesychu wrth gau drws y portico ar ei ôl cyn mynd i mewn i'r tŷ. Wedi iddi edrych i'r un cyfeiriad, daeth Lisabeth â'i hwyneb yn agos ato a siarad yn ddistaw.

'Wyt ti isio clywad *secret*?'

Ddywedodd o ddim, ond dal i edrych i'w llygaid a meddwl eu bod nhw 'run lliw brown â llygaid Anti Mair. Aeth llais Lisabeth ymlaen.

'Dydw i ddim i fod i ddeud wrth neb.'

Am ryw reswm fedrai o ddim dal i sbio i'w llygaid ac edrychodd ar lawr y cowt. Daeth ei llais eto.

'A gwranda, dw i wedi addo peidio deud wrthat ti. Tisio clywad?'

Roedd y llygaid brown yn gofyn iddo ddweud ei fod. Pan nodiodd ei ben rhoddodd hithau wên fach iddo.

'Ac wyt ti'n addo peidio deud wrth neb na fi ddeudodd?'

'Ydw.'

'Wir yr?'

'*Cub's honour.*'

Gosododd hi'i hwyneb mor agos ato fel y gallai deimlo'i cheg yn wlyb ar groen ei glust.

'Mae dy dad di wedi mynd at Iesu Grist.'

Pennod 9

Trodd ei feddwl yn ddryswch o fraw a phoen, a hiraeth a chasineb, ac yr oedd yr hen gryndod oer yn ei berfedd. Daeth yn ymwybodol o'i llais yn sibrwd eto wrth iddi wylio'r emosiwn ar ei wyneb.

'Dyna pam mae'r bleinds i lawr yn y tŷ ac yn tŷ ni . . .' Roedd y llygaid brown wedi mynd yn gul ac i edrych yn annifyr.

'A pham ti'n meddwl maen nhw i gyd mewn dillad du ac wedi mynd i'r dre? I ddeud gwdbei wrth dy dad, siŵr iawn!'

Roedd pob gair ddywedai hi'n gwneud popeth yn waeth iddo. A doedd hi erioed yn dechrau gwenu? Fedrai o ddim dal dim mwy. Fel rhyw anifail gwallgof, neidiodd amdani a chydio'i ddwy law yn dynn yn y gwallt melyn a'i dynnu'n wyllt gyda holl nerth ei freichiau, nes bod hi'n disgyn ar ei phengliniau ac yn sgrechian ar dop ei llais. Gwnaeth ei nadau iddo ollwng ei gwallt, cododd hithau ar ei thraed yn syth a rhuthro am y tŷ gan udo crio dros y cowt. Wedi ei gynhyrfu drwyddo syllodd ar flew melyn hir wedi bachu yn ei fysedd fel sypiau o welltglas wedi gwywo. Wyddai o ddim beth i'w wneud. Yna gwelodd yr ysgol wrth y das wellt. Dringodd i'w thop fel gwiwer a chafodd hyd i'r geiniog ddu'n syth, ond doedd dim golwg o chwe-cheiniog y gweinidog. Doedd ganddo ddim amser i chwilio mwy. Wedi bron baglu i lawr yr ysgol, rhedodd ar draws y cowt gan glywed nadau crio Lisabeth yn dal i ddod o'r tŷ. Eiliad arall o feddwl am ddweud 'sori', ond, hyd yn oed wrth iddo wneud hynny, daliai i redeg yn ei flaen heibio i'r pydew ac allan trwy'r giât i Lôn Gweunydd, ac ar sbîd i lawr yr allt fach at y tro cyntaf. Erbyn cyrraedd yr ail dro roedd o allan o wynt ac yn gorfod eistedd wrth ymyl y postyn giât lle gwelodd o'r gwartheg cowbois. Mor braf oedd hi pan oedd o yno o'r blaen efo'i fam. Cododd ar ei draed. Dyna pam roedd o'n rhedeg nes bron â disgyn am ei fod isio bod efo hi eto – yn enwedig rŵan – yn fwy na fuodd o isio dim arall fedrai o feddwl amdano.

Rhedodd yn ei flaen yn ofni o hyd y medrai Lisabeth a'i choesau hir redeg yn gyflymach a'i ddal. Ond 'tase hi'n gwneud, cysurodd ei hun, mi fase'n tynnu'i gwallt eto nes câi o fynd yn ei flaen i ddal y bws. Gwaeth fyddai petai Taid yn nôl ei hen feic o'r sgubor ac yn dod ar gefn hwnnw ar ei ôl.

Edrychodd dros ei ysgwydd ond doedd yna neb yn y golwg ar y lôn fach. Bellach roedd yna boenau newydd ar gefnau'i goesau, a theimlai chwys yn glynu'r fest wlân yn erbyn croen ei frest. Yna, wrth gornel lôn gul arall a redai i mewn i Lôn Gweunydd, daeth ar draws hogyn bach main a thal yn sefyll gan bwyso ar hen feic du, rhyfedd. Gwisgai gap bach llwyd ar glwstwr blêr o wallt coch, jersi lwyd hir, a hen drowsus du a ddisgynnai dros ei bengliniau.

'S'mae,' meddai'r hogyn. 'Welis i mohonot ti o'r blaen. Ti'n ddiarth, 'dwyt?'

'Ydw.'

'Now dw i. Pwy wyt ti?'

'Robat Wyn.'

'Ti'n chwysu, 'dwyt. Lle ti'n mynd, dywad?'

'Tŷ Cerrig i ddal bws.'

'Hy! ddali di byth mo'r bws nesa.'

'Pam?' Dechreuodd Robat gamu'n ei flaen.

'Os na chei di bàs.' Gwelodd nad oedd Robat wedi'i ddeall. 'Rhy bell os na chei di bàs gyn i ar hwn.'

Gan mai beic ei fam oedd o a heb far arno bu'n rhaid i

Now sefyll ar y pedalau tra eisteddai Robat ar y sedd gan afael yn dynn iawn yn y siersi lwyd gydag ogla pridd a chwys arni.

Dyma'r tro cynta i Robat fod ar gefn beic, felly cyffro ar ben ei gyflwr helbulus ac ofnus oedd cael gwibio ar hyd Lôn Gweunydd ar gefn un.

A phetai'r sefyllfa wedi bod yn wahanol, mi fyddai wedi mwynhau'r hwyl er ei fod o ofn syrthio wrth iddyn nhw gymryd pob tro. Tybiodd y byddai Now'n mynd â fo'r holl ffordd i Dŷ Cerrig, ond wrth iddyn nhw ddod i olwg tŷ fferm, stopiodd y beic.

'Yli, Robat. Wiw i'r rhain yn y ffarm 'ma 'ngweld i. Maen nhw'n nabod Mam, a dydi hi ddim yn gwbod 'mod i wedi cymryd ei beic hi. Dallt?'

'Ydw.'

'Felly, rheda di o fan'ma i Dŷ Cerrig a mi fyddi di'n ddigon buan am y bws.'

Cafodd Robat help Now i ddod i lawr o'r sêt.

'Diolch yn fawr i ti, Now.'

Gwenodd yr hogyn pengoch. 'Pryd ddoi di'n ôl o'r dre?'

'Ddo i ddim – byth.'

'Hen dro, ches i 'rioed ffrind o'r dre o'r blaen. O, ia, wnest ti ddim digwydd gweld malwod ar yr hen lôn 'ma?'

'Naddo, pam?'

'O, dim byd, ond 'mod i'n hel nhw, weldi.'

Edrychodd y ddau ar ei gilydd, yna cychwynnodd Robat redeg eto. Ymhen dim – ynghynt nag roedd o'n ddisgwyl – daeth Tŷ Cerrig i'r golwg. Synnodd weld wyth o bobol yn disgwyl yno. Rhyddhad wedyn oedd gweld nad oedd Taid a Lisabeth trwy ryw lwc wedi cyrraedd yno o'i flaen. Rŵan, ac yntau yno'n saff a'r cam nesaf dychrynllyd o'i flaen, cododd ofn fel salwch drosto. Mynd ar fws ar ei ben ei hun am y tro cyntaf yn ei fywyd – a doedd ganddo ddim digon o arian i dalu am docyn! Piti garw na ffendiodd o'r chwecheiniog. Wel, fe fyddai rhaid iddo gymryd gwerth ceiniog o reid a cherdded o fan'no ymlaen. Yna fflachiodd gobaith newydd trwy ei feddwl. 'Tase Dei'n gondyctor ar y bws byddai'n siŵr o adael iddo fynd yr holl ffordd am geiniog.

Gan fod y bws yn llawn pan gyrhaeddodd y groesffordd, bu'n rhaid i Robat a'r wyth arall gael eu stwffio rywsut i sefyll yn y cefn. Roedd yna gymaint o bobl mawr tal o'i gwmpas, a rhyngddo a lle roedd y condyctor, fel na welodd fwy na chip ar gefn y dyn nes bod y bws ar fin cyrraedd Bryn Menai. Dyna pryd y daeth y condyctor ato, a gwelodd Robat yn syth nad Dei oedd o. Cynyddodd ei ofn gymaint nes troi'n ysfa i redeg o'r bws. Ond roedd cael ei ysgytio a'i wasgu ym mwg sigaréts cefn y bws wedi dechrau'i wneud yn rhy sâl i symud bron.

'Lle ti isio mynd, 'ngwas i?' dechreuodd y condyctor ofyn. Yna sylwodd ar wyneb Robat. 'Teimlo'n sâl wyt ti, ia?' Cyn i Robat nodio'n iawn roedd y dyn yn ei wthio tua ffrynt y bws, ac yna agorodd y drws.

'Sefa di ar y step efo fi – ty'd, mi afaela i'n dynn ynot ti.'

Gwnaeth Robat fel y dywedodd y condyctor, a theimlodd yn well yn syth. Wrth i'r bws fynd i fyny'r allt i ganol Bryn Menai gofynnodd y condyctor iddo, 'Ti'n well rŵan, 'dwyt?'

'Ydw.'

'A lle ti'n mynd, dywad?'

'Dre.'

'Reit, lle mae dy bres di?'

Dangosodd Robat y geiniog ddu iddo.

'Mae isio pum ceiniog arall.'

''Sgyn i ddim mwy. Gollis i chwecheiniog ar dop y das wellt.'

Wedi meddwl dros y broblem yn gyflym, gofynnodd y condyctor, 'Ac yn y dre ti'n byw?'

'Ia,' meddai Robat wrth i'r bws stopio ar ganol pentref Bryn Menai.

'Wn i ddim be i 'neud efo chdi, 'ngwas i,' meddai'r condyctor. 'Ond dos i sefyll tu allan i'r bws am funud.'

Wedi i amryw o bobl fynd i lawr o'r bws daeth y dreifar allan ar eu holau a sefyll ar y palmant yn smocio, heb fod ymhell o'r lle safai Robat yn dal i lyncu drachtiau hir o'r awel. Pan ddaeth y condyctor allan o'r bws hefyd, aeth i siarad mewn llais isel efo'r dreifar. Roedd Robat yn amau eu bod nhw'n siarad amdano fo, ac yn enwedig pan drodd y dreifar ei ben i syllu arno. Penderfynodd wrando'n fwy astud a chlywodd rai o eiriau'r dreifar.

'Wn i pwy ydi o . . .' Aeth y llais yn is. '. . . heddiw. Hen foi clên . . . diodda'n hir . . .'

'Fel 'na mae hi,' meddai'r condyctor. 'Ond be wna i efo hwn?'

Wnaeth y dreifar ddim ateb yn syth. 'Ti'n gwybod pwy 'di'i fam o?'

'Ydi o ots?'

'Ro i fo fel hyn . . . 'taswn i chdi faswn i'n helpu'i hogyn bach hi – gwneud siŵr fod o'n cyrraedd ei fami'n saff. Fetiwn i bydd hi'n ddiolchgar tu hwnt.'

'Pam na wnei di 'ta?'

'Neidio am y cyfle – ond mae 'mreichiau i'n llawn yn barod!' Torrodd y ddau i chwerthin yn uchel.

Yn syth wedi i Robat fynd yn ei ôl ar y bws daeth y condyctor i eistedd wrth ei ymyl.

'Dyma fo dy dicad di. Yli, dywad wrth dy fam 'mod i wedi talu amdano. Ac yli – cofia hyn rŵan – Eric Puw y condyctor ydw i.' Nodiodd Robat yn ddiolchgar. 'A be 'di fy enw i eto?'

'Eric Puw.'

'Da iawn, ond dywad o drosodd a throsodd nes byddwn ni yn y dre.'

Nodiodd Robat a rhoi'r geiniog ddu yn ôl yn ei boced.

Pan ddaeth y condyctor i siarad efo fo wedyn roedd y

bws wedi dod i ben ei daith yn sgwâr y dref. Aeth y dyn dros beth roedd Robat i fod i ddweud wrth ei fam, a phrofodd o eto i'r condyctor ei fod yn cofio'i enw.

'Mi faswn i'n cerdded adra efo chdi, ond mae'r bws 'ma'n mynd allan yn syth bron am Sir Fôn eto. Wyt ti'n gwybod y ffordd adra yn'd wyt ti?'

'Ydw.'

'Ac mi fyddi di'n iawn, byddi?'

'Bydda.'

Gwenodd y condyctor wrth roi'i law trwy gyrls Robat. 'Ti'n dipyn o hogyn, yn'd wyt, 'ngwas i.'

Pennod 10

Fuodd o erioed yn y Stryd Fawr heb rywun efo fo o'r blaen. Er hynny fe wyddai'r ffordd adre'n iawn – onid oedd o wedi rhedeg o flaen ei fam neu Nana ar rannau o'r ffordd lawer gwaith? Roedd heddiw, fodd bynnag, yn wahanol iawn. Teimlai wedi'i gynhyrfu drwyddo – cywilydd o beth wnaeth o trwy fod yn hollol anufudd i'w fam a'i nain ac yn arbennig i'w daid druan, a fyddai erbyn hyn yn chwilio amdano ymhobman. Yn gryfach hyd yn oed na'r cywilydd oedd ofn beth fyddai'n ei ddisgwyl ynghanol y tristwch yn nhŷ Nana. Fedrai o ddim meddwl am y tŷ heb i'w dad fod yno, ddim mwy nag y medrai ddychmygu'i fywyd heb ei dad a'i fam. A'r peth gwaethaf iddo yn y byd i gyd – a oedd yn rhy annioddefol i feddwl amdano am un eiliad – oedd colli'i fam. A'i gysur mawr rŵan wrth iddo frysio i lawr y Stryd Fawr yn annifyr drwyddo oedd ei fod yn mynd yn syth ati hi. Fuodd dim helbul yn ei fywyd erioed na lwyddodd i'w chael hi i roi mwythau iddo i wneud popeth yn iawn yn ei fyd bach.

Gan ei bod hi'n ganol bore Sadwrn roedd y Stryd Fawr yn lle prysur iawn. Roedd yno ddigonedd o bobl a cheir a bysiau. Hefyd gwelai ambell geffyl mawr yn tynnu gwagen lo neu un o wagenni'r stesion, neu geffyl llai'n tynnu cert dyn llefrith. Petai meddwl Robat yn llai anesmwyth mi fyddai wedi rhyfeddu at fod ar ei ben ei hun bach ynghanol cymaint o fwrlwm prysurdeb. Hyd yn oed gyda'i deimladau'n berwi ac yntau'n rhedeg mor aml ag roedd posib, fedrai o ddim peidio â rhyfeddu at y gwahaniaeth rhwng y rhedeg hwn a phan oedd o wrthi yn Lôn Gweunydd ychydig dros awr yn ôl.

Perthynai Lôn Gweunydd i fyd arall, i amser arall, ac i bobl – a oedd yn ei dyb o – yn rhai digon gwahanol. Ond y dref oedd ei fyd o, ac efo'i phobol hi roedd yn lecio bod.

Rŵan, wrth iddo redeg yn ei flaen a chyrraedd gwaelodion y Stryd Fawr, daeth ar draws ambell un oedd yn gwybod pwy oedd o. Arhosodd dwy wraig i syllu arno'n rhedeg tuag atyn nhw.

'Wel, cariad bach, be ti'n neud yn fan'ma, dywad?'

Rhoddodd hanner gwên iddi hi a'r llall wrth ddal ymlaen. Ond medrai glywed llais y ddynes arall yn dweud, 'Rhyfedd, 'te.' Yna llais y gyntaf, 'Fase ddim gwell i ni fynd ar ei ôl o, dywad . . .?' Ond roedd o wedi troi o waelod y Stryd Fawr i stryd gulach. Dim ond dau dro arall ac fe gyrhaeddai dop stryd Nana. Am ei fod wedi colli'i wynt ac am ei fod bellach yn mynd i lawr allt, daeth yn fwy ymwybodol o'r blinder poenus yn ei goesau, a deimlai fel petai pwysau trymion yn eu dal nhw'n ôl. Yna gwelodd res fawr o geir wrth ymyl tŷ Nana. A daeth yr ysfa drosto i ruthro am y tŷ. Wrth iddo redeg i lawr rhan isaf yr allt hir, dechreuodd y car cyntaf yn y rhes gychwyn yn ei flaen yn araf, a medrodd weld ochrau gwydr cefn y car a bod hwnnw'n llawn o flodau. Gwyddai'n syth mai car cynhebrwng oedd o a bod 'na focs pren hir o dan y blodau. Teimlodd rywbeth yn dal mor gryf ar ei wynt nes ei rwystro rhag gweiddi crio. Roedd yna bobl a phlant yn sefyll ar y palmant gyferbyn â thŷ Nana yn gwylio'r car cynhebrwng yn symud. Yna wrth i'r ail gar – un du mawr – gychwyn ar ei ôl, gwelodd Idris yn camu o'r criw plant ar y palmant. Roedd o'n pwyntio at Robat yn rhedeg atyn nhw gan weiddi ar y rhai yn yr ail gar, 'Mae Robat Wyn yma! Mae o yma!' Stopiodd y car yn syth; daeth Mami ohono a rhedeg at Robat. Clywai leisiau pobl o'r ddwy ochr i'r ffordd yn dweud pethau amdano. Ond doedd dim ots, roedd o yn ei breichiau hi eto. Ac er bod fêl ddu yn disgyn o'i het dros ei hwyneb roedd hi'n cusanu'i wallt trwy'r fêl gan ddweud, 'O, yr aur bach! Sut ddoist ti yma, cariad bach?' Clywodd ei llais yn mynd yn rhyfedd, 'Sut ddoist ti . . . siwgwr?'

Fedrai o mo'i hateb – yr unig beth ar ei feddwl oedd peidio â gollwng ei afael ynddi. Ddywedodd hi,

'Yli, 'nghariad bach i, rhaid i Mami fynd yn y car efo Nain, ond fedri di ddim dŵad . . .'

Roedd ei dagrau'n gwlychu'i wyneb trwy'r fêl ddu.

'Rhaid i ti fynd i'r tŷ at Nana – sbia, mae hi yn y drws. Dos di rŵan at . . .'

Daeth llais Nain ar ei thraws. 'Sali, gad lonydd iddo ddŵad yn y car efo ni.'

'Na, na – mae'n well iddo fod yn y tŷ efo Mam.'

Trodd Mami ei phen oddi wrtho a galw ar Nana i ddod i'w nôl o i'r ty, ond daliodd i afael yn dynnach byth yn ei fam. Yna clywodd lais Nain eto ac yn swnio'n gryfach na llais ei fam.

'Gwranda arna i, Sali, mae'n iawn i'r hogyn gael bod yng nghynhebrwng ei dad.'

'Wn i ddim wir, Nain, ellith ei ypsetio fo'n arw.'

'Mi ddiolchith i ti ryw ddiwrnod, gei di weld.'

Am y tro cyntaf yn ei fywyd roedd o isio i Nain gael ei ffordd, yn bennaf er mwyn iddo gael aros yng ngafael ei fam. A dyna be ddigwyddodd.

Er i Nana ddod atyn nhw o ddrws y tŷ ac ochri efo'i fam, mynd yn y car mawr du y tu ôl i'r car cynhebrwng wnaeth o. Roedd hynny wedi i Nana ruthro i'r tŷ i nôl ei gôt fawr a'i 'sgidia gora, a dod â chadach molchi gwlyb efo hi i olchi'i wyneb a'i bengliniau ar frys mawr. Ac wedi i Nana addo i Nain y byddai'n mynd yn syth i ffonio siop post y pentre i roi neges i Taid druan fod Robat yn saff.

Cafodd eistedd rhwng ei fam a Nain gyda braich ei fam amdano ac yntau'n teimlo'n gyffyrddus yn ei chesail. Siaradai ei fam efo fo'n aml i ddweud wrtho am beidio poeni a'i fod o'n hogyn da ac y byddai popeth yn iawn. Unwaith, yn yr un llais rhyfedd eto, dywedodd fod Dadi wedi mynd i'r nefoedd i ddisgwyl amdanyn nhw ac na fyddai o byth mewn poen wedyn. Roedd Robat isio gofyn a oedd ei dad wedi stopio pesychu am byth hefyd. Ond peidio gwneud wnaeth o; a ddaeth dim un gair oddi wrth Nain ar hyd y ffordd.

Yn y capel, gafaelodd blinder mawr ynddo ar ôl iddo gael dros ryfeddu at faint y lle. Doedd o erioed wedi bod mewn lle tebyg o'r blaen, a synnodd weld ei fod yn fwy na'r Arcadia. Cafodd yr argraff fod y capel yn llawn o ddynion mewn dillad tywyll a bod pawb yno'n dalach na fo. Ond doedd dim ots gan fod Mami'n gafael yn dynn iawn ynddo wrth iddyn nhw fynd i eistedd reit yn y ffrynt efo Nain, Anti Mair, Wncl Huw ac Wncl Wil. Roedden nhw i gyd yn syllu o'u blaenau ac yn edrych fel 'tasen nhw isio crio. Yna sylweddolodd ar beth roedden nhw'n syllu mor drist. Ar ganol y sêt fwyaf yno – yn union o'i flaen o – roedd y bocs pren a'r blodau arno. A gwyddai bellach fod ei dad yn y bocs, ac na fyddai byth yn ei weld eto. Ond doedd y syniad ofnadwy ddim mor ofnadwy iddo, fel petai gwaelodion ei feddwl – lle roedd ei deimladau dyfnaf – wedi disgwyl am hyn ac wedi paratoi i'w dderbyn. Bellach fedrai o ddim osgoi gwybod beth oedd y gwir mawr tu ôl i'r tristwch i gyd. Yr ennyd hwnnw fe wyddai beth oedd y bwgan yn y tywyllwch roedd o wedi osgoi'i wynebu ers dyddiau. Ac roedd rhyw ollyngdod yn y gwybod cyn belled â bod ei fam wrth ei ymyl yn dal ei gafael ynddo.

Ar ganol ei feddyliau sylwodd fod pawb ond ei deulu o wedi codi i sefyll a bod yna sŵn organ yn chwarae. Wedyn roedd y bobl ddiarth i gyd yn dechrau canu am ryw lais roedden nhw'n ei glywed. Wedi iddyn nhw fynd ymlaen ac ymlaen i sôn am Iesu Grist, dyma nhw'n eistedd, ac yn syth wedyn safodd dyn wrth ymyl y bocs a'r blodau a dechrau siarad. Siom i Robat oedd gweld mai hwn oedd yr hen weinidog annifyr hwnnw roddodd y chwecheiniog iddo. Penderfynodd beidio ag edrych arno a chaeodd ei lygaid. Roedd llais y dyn yn swnio'n rhyfedd, yn troi a throi yn ei glust – heb ystyr o gwbwl – fel canu grwndi cath fawr . . . fwy na'r un frech . . .

Pan agorodd ei lygaid synnodd weld ei fod yn gorwedd ar y soffa fach yng nghegin tŷ Nana, ac ogla nionod yn ffrio yno. A phan welodd hi ei fod wedi deffro mi ddaeth ato'n syth a chafodd lot o garu mawr ganddi.

'On'd oeddet ti wedi lladd dy hun, siŵr iawn, ar ôl y cerdded 'na i gyd! Yr holl ffordd i lawr yr hen lôn fach hir honno o Fryndu.' Daeth sŵn rhyfeddu mawr i'w llais, 'Ac wedyn cerdded o'r sgwâr i dŷ Nana . . .'

'Rhedeg wnes i'r holl ffordd.'

Mwy byth o sŵn rhyfeddu. 'Wel, wir! Syndod bod y coesa bach tena 'ma wedi medru dal cymaint.' Roedd yn rhaid iddo'i chywiro'n syth.

'Dydyn nhw ddim mor fach, Nana – sbïwch.' Edrychodd hi i lawr ar ei goesau ac meddai wrth roi cusan ar ei ddwy ben-glin,

'Ti werth y byd, siwgwr bach.' Sychodd ei llygaid yn frysiog â chefn ei llaw.

'Gwranda, dw i wedi gwneud tipyn o sgram jyst i ni'n dau.' Camodd oddi wrtho. 'Mi fydd yn barod mewn dau funud.'

'Dw i isio mynd i'r bathrwm,' meddai o wrth godi ar ei draed.

'Wel, dos reit sydyn 'ta.'

Dringodd i fyny'r grisiau fel y gwnaethai ugeiniau o weithiau'n ddiweddar, ond roedd y tro hwn yn wahanol iawn. Fyddai'i dad ddim yn y llofft yn ei ddisgwyl. A oedd yn bosib fod yr un newid dychrynllyd yna wedi digwydd pan edrychai popeth arall yn union yr un fath . . . y grisiau, y landin, drysau'r llofftydd? Rhuthrodd yn ei flaen i ben y grisiau ac i mewn i'r bathrwm.

Pan ddaeth allan oedodd wrth ben y grisiau, ac edrych ar hyd y landin at ddrws llofft ei dad yn y pen arall.

Roedd y drws wedi'i gau. Daeth yn ymwybodol ei fod yn cerdded yn araf tuag at y drws. Wedi'r cwbwl welodd o mo'i dad yn y bocs hir – meddwl ei fod o yno wnaeth o. Agorodd y drws yn araf iawn a synnodd fod y llofft mor dywyll. Yna gwelodd fod bleinds y ddwy ffenest i lawr i'r gwaelod. Gwyddai'n syth mai ogla dwylo'r nyrs oedd yno'n gryf iawn ac yn ei daro fel tristwch sydyn. Trwy'r llwyd-dywyllwch gallai weld y gwely mawr yn edrych yn glaerwyn – yn enwedig y clustogau. Wnaeth o ddim mentro ymhellach i mewn i'r llofft – roedd y gwely gwyn yn codi ofn arno. Ond mi siaradodd efo fo yr un fath â phetai'i dad yn dal yno. Yr oedd yn anodd iddo ddewis beth i'w ddweud, ond mi ddywedodd yr hyn a dybiai oedd yn bwysig i'w dad.

'Dadi . . . mi . . . mi . . . edrycha i ar ôl yr eliffant bach piws yn olreit . . . Wna i ddim gadael i blant erill chwara efo fo. A mi fydd o efo fi am byth . . .'

Daeth llais Nana o waelod y grisiau.

'Ac am bwy 'dwch mae'r *penny duck* a'r nionod wedi'u ffrio, a'r *chips* cartra yn disgwyl, a disgwyl?'

O, roedd o wedi mwynhau'r te sgram efo Nana, ac wedi bwyta cymaint â dyn mawr tal, meddai hi. Wedyn fe agorodd hi ffenest a drws y gegin gefn i'r ogla ffrio gael mynd allan. Yna pan ddaeth y lleill yn ôl yn eu ceir i'r tŷ a chael te mawr yn y parlwr cefn, doeddan nhw, meddai Nana, ddim wedi cael sgram iawn fel y cafodd o a hi. Pan glywodd o fod yr hen weinidog hwnnw yna hefyd, fe gadwodd yn ddigon pell o'r parlwr cefn er i'w fam ofyn iddo ddwy waith i ddod atyn nhw am funud. Mi aeth yn y diwedd ar ôl clywed fod y gweinidog wedi mynd adref. Ond difaru'n syth wnaeth o wrth weld mai pwrpas ei gael o efo nhw yn y parlwr cefn oedd pwyso arno i fynd yn ôl i Fryndu efo Nain a'r lleill yn y fan las. Gwrthod wnaeth o gan ysgwyd ei ben yn bendant iawn. Hyd yn oed pan aeth ei fam i lawr ar un ben-glin a gofyn yn annwyl iawn iddo fynd, gan addo presant neis iddo, a dweud y byddai hi'n dod i'w nôl adre fory. Gafael yn dynnach ynddi wnaeth o a dal i ysgwyd ei ben. Roedd ei fam wedi hanner gwenu.

''Dach chi'n gweld fel mae petha.'

Wnaeth Nain ddim gwenu na dweud dim, ond cododd o'i chadair a rhoddodd yr het ddu ar ei phen.

'Ddown ni'n dau fory 'ta,' meddai'i fam. Gwelodd fod Robat yn syllu'n bryderus arni, ac meddai hi, 'Ond mi awn ni adre reit fuan.'

'Cyn oedfa'r nos?' gofynnodd Nain.

Pennod 11

Fel y digwyddodd pethau fu dim rhaid iddo boeni am fynd i Fryndu y diwrnod canlynol. Deffrodd ei fam efo cur mawr yn ei phen, a gohiriwyd mynd i Fôn tan drannoeth. Arhosodd ei fam yn ei gwely drwy'r bore ar ôl i Nana ddod â diod o lefrith poeth a dwy *aspirin* iddi. Ac roedd Robat wedi swatio y tu ôl i'w fam yng ngwely bach y llofft leiaf. Effeithiodd gorffwys yn erbyn meddalwch cynnes cefn ei fam arno, ac fe ailgysgodd yntau am ychydig. Ond cafodd ei ddeffro gan glychau'r eglwys. Wedi i'w fam gwyno eu bod nhw'n 'bali niwsans', a'i fod yntau'n rhy aflonydd iddi gysgu, cododd o ac aeth i lawr i helpu Nana efo'r cinio. Yna blinodd ar hynny hefyd. Ond rhyw ddiwrnod felly oedd dydd Sul iddo – diwrnod o flino ar wneud pethau ac o gael ei rwystro rhag gwneud pethau eraill fel cadw sŵn mawr, chwarae yn y stryd neu fynd i'r Arcadia. A thrwy'r cwbl teimlo y dylai fod yn nhŷ Iesu Grist efo'r rhan fwyaf o'i ffrindiau. Ond yr un pryd yn falch bod dim rhaid iddo fynd yno a gorfod dysgu a dweud ribidires o adnodau doedd neb yn eu deall. Dyna oedd Dadi druan wedi gorfod ei wneud neu mi fyddai'i fam yn gas efo fo. Na, roedd o'n saffach gartre o lawer ar ddydd Sul.

Wrth feddwl am ei dad yn hogyn bach yn diodde ym Mryndu, cofiodd am ei Nain oedd isio iddo fynd yno'n ôl efo hi. Dim thenciw, wir! Aeth ei feddwl yn anesmwyth ynglŷn â'r fory. Fe fyddai'n rhaid iddo gael Mami i addo o flaen Nana y câi o ddod yn ôl adre efo hi i'r dref.

Pan wnaeth ei fam addo iddo â'i llaw ar ei chalon, roedd hi'n ddiwedd y prynhawn a'i chur pen wedi mynd i gyd. Wedi iddo ddweud ei bod hi'n dal i edrych yn llwyd, rhoddodd hi bowdwr pinc ar ei bochau a lipstic coch newydd ar ei cheg, a gwenu mor neis arno fel bu'n rhaid iddo ddweud ei bod hi'n edrych fel blodyn. Roedd hi wedi chwerthin yn uchel a'i wasgu ati'n dynn. Dechreuodd o ganu *'Ain't she sweet, walking down the street, I ask you confidentially . . .'* ond fe chwardd-odd hi ar ei draws, ac meddai wrth ei wasgu'n dynnach byth,

'Mi gei di weld, mi ddechreuith petha wella ar ôl fory – i chdi a fi.'

'Hwrê! 'dan ni ddim yn mynd i Sir Fôn!'

'Wedi i ni ddod yn ôl dwi'n feddwl.' Aeth ei llygaid yn fawr, ac roedd golwg hapus arni. 'Mi fydd dy fami wedi cael job, gei di weld.'

Llun y Pasg oedd y dydd canlynol. Dechreuodd y diwrnod yn dda i Robat yn syth wedi iddo fwyta'i frecwast i gyd. Fe gafodd ŵy Pasg mawr mewn papur arian glas gan Nana, a'i lond o dda-da siocled. Wedyn mi roddodd ei fam un bron gymaint o'i flaen heb ei lapio o gwbl. Ond ar siocled plaen yr ŵy roedd yna eiriau wedi'u hysgrifennu mewn siocled gwyn. Darllenodd o'r geiriau'n uchel, 'I Robat Wyn – cariad Dadi a Mami'. Cododd Nana'n syth oddi wrth y bwrdd ac aeth o'r golwg i'r gegin gefn. Syllodd Robat a'i fam ar yr ŵy, yn dweud dim. Yna'n sydyn gwthiodd ei wyneb i'w chesail, ac wrth iddi wasgu'i breichiau amdano teimlodd ei chorff yn ysgwyd.

Ymhen ychydig aeth ei chorff yn llonydd, ac meddai hi mewn llais tawel, 'Gwell i ni feddwl am gychwyn – y bysys yn wahanol ar fanc holide.'

'Gawn ni fwyta dipyn o *Easter egg* Nana gynta?' cynigiodd o.

'Nid cyn mynd ar y bws, del bach. Gei di fwyta faint leci di 'rôl dod adre heno.'

Yn syth wedi iddo fo a'i fam fynd ar y bws o sgwâr y dre gwelodd Robat mai'r condyctor oedd yr un a dalodd am ei docyn. Cofiodd yr un pryd ei fod wedi anghofio dweud dim wrth ei fam am hynny. A phan ddaeth y condyctor atyn nhw teimlodd ei euogrwydd yn gwneud i'w wyneb gochi. Ond gan fod y bws mor llawn fel bod y condyctor yn gorfod gwthio'i ffordd rhwng yr holl bobol oedd yn sefyll, doedd ganddo ddim amser i sgwrsio efo neb. Be wnaeth o oedd rhoi winc fawr a gwên i Robat, cyn gwthio yn ei flaen.

Erbyn cyrraedd pen y bont roedd cymaint o lwyth ar y bws fel ei fod o'n rhy drwm i'w chroesi, yn enwedig efo'r gwynt yn gwneud i'r bont ysgwyd. Eglurodd y condyctor hyn ar dop ei lais, gan ofyn i'r dynion ddod oddi ar y bws, a cherdded dros y bont.

'*Why should we?*' gwaeddodd Sais o'r cefn.

'*Because the bridge is shaking in the wind,*' meddai'r condyctor.

Yr un Sais eto. '*But we've paid the full fare and it's raining hard.*'

Gwenodd y condyctor. '*You'll get wetter, sir, if the bloomin bridge breaks!*'

Roedd pawb ar y bws wedi chwerthin, Robat a'i fam gymaint â neb. Yna, wrth weld y dynion yn codi o'u seti i gerdded allan, safodd yntau hefyd i gael mynd efo nhw.

'Does dim rhaid i ti fynd, siŵr,' meddai'i fam.

Daliodd o ar ei draed. 'Ond faswn i'n lecio cerdded dros y bont efo'r dynion.'

'Aros di lle rwyt ti, 'ngwas i,' meddai llais y condyctor yn swnio'n garedig. Stwffiodd heibio i'r rhes o ddynion i ddod at Robat a'i fam.

Gwyrodd dros eu sêt. 'Dw i'n gwybod yn iawn gymaint o rêl boi wyt ti, ond aros di yn dy sêt i edrach ar ôl dy fam.' Rhoddodd winc fawr arall i Robat a gwên neis i'w fam.

Gwenodd hithau'n ôl. 'Dyna ddeudis inna wrtho. Ond sut 'dach chi'n nabod o, 'dwch?'

'Ddeudist ti ddim wrth dy fam?' Daeth y gwres yn ôl i wyneb Robat. 'Wel, wel, be wnawn ni efo chdi, dywad?'

'Deud be wrtha i?' gofynnodd hi.

'Fi oedd ar y bws pan ddaeth o adra i'r dre bora Sadwrn.'

'A phwy dalodd drosto?' Roedd ei fam yn syllu ar y condyctor. Trodd hwnnw ei wyneb at Robat.

'Hynny'n *secret*, 'tydi, llanc?' Sythodd, 'Rhaid i mi fynd – neu mi fydd 'na ddynion yn cwyno'u bod nhw wedi gorfod disgwyl amdanan ni'n y glaw.' Gwenodd eto wrth gamu oddi wrthyn nhw. 'Fydd hi'n ddistaw 'rôl Bryn Menai – gawn ni sgwrs wedyn.'

Daeth y dynion yn ôl ar y bws yn cwyno'n uchel a'r dŵr glaw yn dal i ddiferu o bigau'u capiau ac ymylon eu hetiau. Erbyn cyrraedd Llanfair P.G. roedd oglau cryf dillad tamp yn cynhesu. A Robat mor brysur yn tynnu lluniau ar ôl y stêm ar y ffenestri fel y collodd o weld tŵr y Marcwis.

Braf oedd sylwi bod y glaw yn llawer llai ym Mryn Menai. Ar ôl blino ar wneud y lluniau, fe ddaeth Robat yn ymwybodol o'r gwres a'r mwg sigaréts a'r ogla tamp i gyd yn effeithio ar ei ben a'i stumog. Dechreuodd agor ei geg yn barhaus a gafael yn dynn yn llaw ei fam. Gwelodd hi'r arwyddion, ac roedd wedi'i arwain at ddrws y bws yn barod iddo fod y cyntaf i fynd i lawr pan stopiodd ym Mryn Menai.

'Diolch byth,' meddai'i fam, 'wnawn ni ddim gwlychu yn hyn o law. Ond cadwa di o dan yr ymbarél efo fi rhag i ti gael annwyd.'

Fel arfer ar ôl Bryn Menai aeth y bws bron yn dri chwarter gwag. A theimlai Robat yn well o lawer. Wedi i'r condyctor sefyll am ychydig wrth ysgwydd y dreifar i gael sgwrs, daeth at ymyl Robat a'i fam. Plygodd i agor tipyn ar y ffenest agosaf at Robat.

'Fydd hynna gystal â ffisig i ti, 'ngwas i.'

'Diolch yn fawr i chi,' meddai'i fam yn ei llais neisiaf.

Eisteddodd y condyctor yn y sedd wag y tu ôl iddyn nhw, ac meddai,

'Gas gyn i weld rhywun yn sâl ar y bws.'

'Fedra i ddallt hynny.'

Gwenodd y dyn, 'Ia, ond gyn i biti drostyn nhw hefyd. Wyddoch chi be – mi daflodd un plentyn i fyny jyst wrth gyrraedd y drws.'

'Nid ar y step?'

'Y step isa un! 'Tase fo ond wedi cymryd un cam arall mi fase wedi arbed deng munud o waith clirio'r stomp i mi. Ond roedd rhaid i mi neud neu fase 'na neb wedi dŵad ar y bws!'

Chwarddodd y condyctor a gwenodd ei fam. Yna aeth y condyctor i edrych yn drist.

'Sori, wir,' meddai o, 'y fi'n parablu'n wirion fel hyn a chitha mewn galar mawr.'

'Ia, wel,' meddai'i fam, 'mae'r petha 'ma'n digwydd weithia.'

Y peth nesa ddigwyddodd oedd i'w fam fynd i eistedd yn y sedd tu ôl efo'r condyctor. Ac i'r ddau sgwrsio mewn lleisiau isel. Gallai Robat ddal i glywed pytiau o'u sgwrs trwy dwrw'r bws a sŵn y gwynt o'r ffenest agored. Clywodd y condyctor yn dweud bod 'Glyn yn hen foi iawn,' a bod 'yr hogyn bach 'ma'n rêl boi hefyd.' Mi ddywedodd y ddau beth oedd enwau'i gilydd, ac wrth iddyn nhw gyrraedd croesffordd Tŷ Cerrig, soniodd ei fam rywbeth am fws dau o'r gloch.

Pennod 12

Prin roedd Robat yn cofio cerdded ar hyd Lôn Gweunydd mewn glaw, a'r diwrnod hwnnw edrychai'r lôn fach yn berffaith iddo. Y rheswm syml am hynny oedd bod yr haul yn tywynnu, bod y lôn yn llawn o'r gwanwyn byw a braf. Ond hyd yn oed yn bwysicach iddo oedd bod ei fam wrth ei ymyl, a'i bod hi wedi dweud ddwy waith y byddan nhw'n gorfod dal y bws dau yn ôl adre.

Pan ddaethon nhw at gornel y lôn gul a ddeuai ar draws Lôn Gweunydd oedodd Robat i edrych i'w phen draw gan obeithio cael gweld yr hogyn pengoch ar feic ei fam eto. Pan welodd nad oedd dim golwg ohono teimlai bwl o siom – roedd o wedi lecio'r hogyn yn arw.

Tatws yn popty oedd i ginio, ar liain hollol wyn ar fwrdd mawr y gegin. Ond cyn i Robat gael eistedd wrth y bwrdd roedd yn rhaid iddo ddweud, 'Sori, a wna i ddim rhedeg i ffwrdd byth eto,' wrth Taid.

'Cofia dy fod ti wedi addo,' meddai Nain.

'Wnaiff o ddim anghofio,' meddai Taid. 'Yr hen hogyn bach 'ma wedi dioddan fwy na mae neb yn ei feddwl.'

Rhoddodd ei law ar ysgwydd Robat, 'Ty'd ti at y bwrdd, Robat Wyn.'

Edrychai Nain fel 'tase hi'n mynd i ddweud rhywbeth blin ond wnaeth hi ddim. Wedi eiliad o ddistawrwydd mi ddywedodd, 'Ista di rhwng dy fam a fi.'

Roedd y pryd yn ddiarth i Robat, ac mi fase wedi bod yn well ganddo petai Nain heb roi cymaint ar ei blât.

Wedi rhyw ddeng munud dechreuodd oedi ar ôl pob cegiad nes iddo gael cip sydyn iawn ar ben coch yn gwibio heibio giât y cowt. Aeth ati'n syth i lowcio'r bwyd, hyd yn oed y lwmpiau mawr o datws. Sylwodd fod Nain yn ei wylio'n clirio'i blât.

'Wnaiff hwnna les i ti.' Edrychodd hi ar ei fam. 'Yr hogyn 'ma angen digon o fwyd iach a maethlon.'

'Ydi, siŵr.' Roedd ei fam yn cael trafferth i gnoi darn o gig.

'Dydi gormod o fwyd ffansi ddim . . .' dechreuodd Nain, ond stopiodd yn sydyn gan syllu drwy'r ffenest. 'Dyna'r trydydd tro i'r lembo main 'na fynd heibio'r giât.'

'Pa lembo?' gofynnodd Taid.

''Rhen walch bach coch 'na, siŵr.'

Sychodd Taid odre'i fwstásh. 'Now ti'n feddwl. Hogyn ydi o 'te. Dydi o ddim mor ddrwg.'

Roedd Robat erbyn hyn yn gwrando ar bob gair. Wedi iddi gymryd gwynt hir daeth geiriau nesa Nain.

'Ia, wel, cyw o frîd ydi o 'te. Ti'n cofio'i daid o 'dwyt, Tomos?'

Wnaeth Taid ddim ateb. Trodd Nain at ei fam.

'Taid y Now 'na . . . un gwyllt arall, y cynta bob tro i drio gwneud rhyw orchest . . .'

'I wneud be?' gofynnodd Mami.

'Camp!' Swniai Nain fel 'tase hi'n poeri'r gair. 'Pan oeddan ni'n blant fo fydda'r cynta i fentro gweld os oedd rhew Llyn y Wern yn saff i sglefrio arno. Wel, un flwyddyn doedd o ddim . . . pryd oedd hi, Tomos . . . 1882?'

'Synnwn i ddim,' meddai Taid yn swnio fel 'tase fo ddim isio sôn mwy am y peth.

'Beth bynnag, fe fuodd o yn y dŵr rhewllyd am hydoedd.'

'Oedd o'n iawn ar ôl hynny i gyd?' gofynnodd ei fam.

'O mi fuodd yn wael am sbel wedyn cyn iddo ddŵad ato'i hun. Ond wnaeth o ddim callio – dydi callio ddim yn ei frîd o. Ti'n cofio hen daid yr hogyn Now 'ma, Tomos?'

'Dyn ffeind,' meddai Taid.

'Ffeind a rhyfadd.' Aeth Nain ymlaen gyda bwyta'i chinio, yna, fel 'tase hi wedi cofio beth oedd pwrpas siarad am deulu Now, meddai, 'Gwranda di rŵan, Robat, mae'r Now 'na'n un rhy od i ti fod yn llawiach efo fo. Ti'n dallt?'

Nodiodd Robat heb wybod beth oedd ystyr 'llawiach'.

Ar ôl cinio pan oedd ei fam a'i nain yn y parlwr mawr yn sbio ar hen luniau o'i dad sleifiodd Robat yn syth allan i'r portico. O'r drws gwelodd Taid yn croesi'r cowt yn cario fforc a rhaw. Trodd at Robat.

'Yn yr ardd fydda i'n gweld sut mae'r tatw cynnar yn dŵad yn eu blaena. Ti isio dŵad efo fi, Robat Wyn?'

Taflodd Robat ei olwg yn gyflym tua'r lôn, ond welai o neb.

'Ydw, Taid.'

'Wel, dos i nôl dy gôt – gwynt yn dal yn fain.'

Pennod 13

Pan ddaeth allan yn ôl i'r cowt a'i gôt fawr amdano doedd dim golwg o'i daid. Tybiodd ei fod yn yr ardd a chychwynnodd ar ei ôl. Wrth iddo fynd trwy giât y cowt clywodd sŵn chwibanu byr. Yn sefyll wrth ochr y cwt moch, ac allan o olwg y tŷ, yr oedd Now. Gwnaeth arwydd â'i law ar Robat i ddod ato. Dim ond am eiliad neu ddau y petrusodd o cyn mynd.

'Rôn i'n gwbod y basat ti'n dŵad yn d'ôl.'

'Sut ti'n gwbod lle dw i'n aros?'

Gwenodd Now. 'Pobl o gwmpas fan'ma yn cael gwbod pob dim am bawb, 'sti.'

Roedd Robat wedi'i synnu, 'Ond sut maen nhw'n gwbod?'

'Wn i'm – jyst gwbod maen nhw.'

'O. Pam ti'n cuddio fel hyn, Now?'

'Wel, ddeuda i wrthat ti, weldi, dy nain sy'n edrach fel bwgan arna i bob tro.'

'Ia, wn i. Gwranda, dw i i fod yn yr ardd efo Taid.'

Daeth gwên i wyneb yr hogyn pengoch. 'Gyn i rwbath gwell i ti neud – dringo coed!'

'Sut?'

Edrychodd y llall yn syn ar Robat. 'Sut? Sut? Mynd i fyny nhw 'te, siŵr.' Gwelodd yr olwg ddryslyd ar wyneb Robat.

'Paid â deud dwyt ti 'rioed wedi dringo coed?'

Ysgydwodd ei ben. 'Does 'na ddim rhai'n y strydoedd lle dw i'n byw.'

'Wir? Taw â deud. Yli, rŵan, fasat ti'n lecio dysgu'u dringo nhw?'

'Baswn, ond dw i fod ar fws dau.'

Fe fu Now'n syllu ar yr haul am ychydig cyn tynnu hen wats fach o liw arian o'i boced. Wedi symud bysedd y wats yn ofalus, mi ddywedodd yn bendant, 'Felly mae gynnon ni hanner awr, ond dim mwy.'

'Fydd hynny'n ddigon i mi ddysgu dringo?'

Nodiodd yr hogyn pengoch. 'Awn ni i'r coed agosa sy'n ddigon hawdd i ti.'

Arweiniodd Now Robat i gyfeiriad hollol newydd iddo fo ar hyd lôn fach gul iawn a redai heibio i ddwy fferm ac at ymyl y Gors Fawr. Yno ar ochr twmpath isel o greigiau llwyd safai tair coeden fechan, y dalaf yn ddim uwch na ffenestri llofftydd Bryndu.

Arhosodd Now wrth y lleiaf o'r tair. 'Ydi hon yn rhy anodd i ti?'

'Wn i ddim . . . Ella . . . Be taswn i'n syrthio a finna isio dal bws?'

Chwiliodd Now am yr haul a oedd ar y pryd y tu ôl i glamp o gwmwl mawr fel mynydd gwyn yn yr awyr.

'Hen dro,' meddai gan ddal i chwilio am yr haul,' a jyst pan ôn i isio gwbod 'ramser.'

'Ond mae gen ti wats?'

Wedi i Now dynnu honno o'i boced a'i hysgwyd yn ffyrnig fel cath efo llygoden, aeth ati i'w tharo yn erbyn bonyn y goeden agosaf.

'Ydi hi ddim yn mynd, Now?'

'Mi aeth hi bora 'ma am dipyn. Y tro nesa aiff hi gei di'i rhoi hi wrth dy glust i' chlywad hi'n tician.'

'Ond, Now, be 'di'r amser rŵan?'

Teimlai Robat yn anesmwyth. Fe fu'r ddau wrthi'n syllu ar wyneb glân y wats am dipyn. Roedd y bys bach rhwng yr un a'r dau a'r bys mawr ar y tri.

'Mae hi'n rhwbath wedi un,' meddai Now'n bendant iawn, 'ond paid â gofyn i mi be.'

Daeth braw sydyn dros Robat.

'Dw i'n mynd,' meddai gan gychwyn oddi wrth y creigiau am y lôn fach.

Rhedodd y ddau yr holl ffordd nes iddyn nhw ddod i olwg Bryndu.

'Dos di ar ben dy hun rŵan,' meddai Now, 'rhag i mi neud petha'n waeth i ti.' Trodd i fynd i gyfeiriad ei gartref. 'Yli, ty'd ti'n d'ôl o'r dre – os medri di – i ni gal hwyl.'

Nodiodd Robat, yn rhy ddigalon i ddweud dim gan yr ofnai y byddai yna ddwrdio mawr yn ei ddisgwyl. Wrth redeg yn ei flaen gallai glywed yn ei feddwl leisiau'r tri yn y tŷ: 'A Taid wedi disgwyl amdanat ti yn yr ardd.'

'Roeddat ti'n gwbod yn iawn fod dy fam isio dal bws dau . . .'

'Ac mi est ti efo'r Now wirion 'na wedyn!' Doedd llais ei fam ddim yn eu plith nhw.

Ond yn ei ddisgwyl roedd gwaeth nag unrhyw ddwrdio yn y byd. Cafodd yr arwydd cyntaf fod rhywbeth mawr o'i le pan redodd trwy'r giât i'r cowt a Taid yn dod ato'n syth.

'Lle ti 'di bod, Robat Wyn bach?'

Doedd ganddo mo'r anadl i'w ateb, a syllodd yn bryderus i lygaid ei daid. 'Y tri ohonon ni wedi bod yn galw arnat ti. Lle buost ti, dywad?' Bellach roedd ei ofn yn dal ar hynny o anadl a oedd ganddo.

'Roedd dy fam druan . . .' Dechreuodd Taid besychu. '. . . yn methu byw yn ei chroen wrth weld yr amser yn mynd a dim golwg ohonot ti.'

Rŵan roedd yna gywilydd ar ben yr ofn a'r cywilydd yn troi'n wres trwy'i ben a thu ôl i'w lygaid yn arbennig. Fedrai o wneud dim ond syllu a'i geg yn agored i lygaid ei daid. 'Fe fuodd y greaduras yn . . .' Mwy o beswch. '. . . yn disgwyl tan y munud ola un cyn ei chychwyn hi am Dŷ Cerrig.'

Dechreuodd y gwres bwyso y tu ôl i'w lygaid, ond medrodd siarad rywsut. 'Ond mi . . . ond mi fedra i redeg ar ei hôl hi.'

Pwyntiodd Taid ei law i gyfeiriad clwstwr o dai'n edrych fel lwmpiau bach gwyn a llwyd yn y pellter.

'Mae hi yn fan'cw . . .' Roedd o'n anadlu'n ddwfn iawn. '. . . ym Mryn Menai erbyn hyn, 'ngwas bach i.' Rhedodd Robat oddi wrth ei daid i'r sgubor a'r dagrau'n rhedeg un ar ôl y llall dros ei fochau.

Wedi tynnu'r drws ar ei ôl taflodd ei hun ar yr hen sachau tatws wedi torri'i galon yn llwyr. Aeth i ochneidio crio'n uchel, a phob ochenaid yn ysgwyd ei berfeddion wrth i'r holl alar a thristwch a siom a ddioddefodd o dros y dyddiau diwethaf gael eu byrlymu ohono. Yn raddol trodd yr ochneidio'n riddfan. Teimlai fymryn yn well, fel petai'i feddwl a'i deimladau a'i gorff wedi cael gollyngdod. Sychodd y dagrau ar ei wyneb â chefn ei law. Ond roedd mwy ohonyn nhw wedi cronni ar goler ei grys o dan ei ên. Gan nad oedd o isio i'w nain weld cymaint y buodd o'n crio, aeth ati i sychu'r goler efo llawes ei siersi. Tra oedd yn gwneud hynny tybiodd iddo glywed sŵn crafu wrth waelod y wal gyferbyn ag o. Roedd arno ofn llygod mawr a chododd yn syth ar ei draed. 'Tase gynno fo wn mi fase'n saethu'r gnawes yn syth. Yn lle hynny, sychodd ei lygaid unwaith eto ac aeth allan i'r cowt. Synnodd weld Taid yn sefyll bron yn yr un fan fel 'tase fo wedi bod yn ei ddisgwyl.

'Teimlo'n well rŵan, 'ngwas i?'

Nodiodd.

'Mae dy nain yn y gegin – isio siarad efo chdi, weldi.'

Teimlai'i iselder yn cynyddu eto.

'Ddowch chi efo fi, Taid?'

Pesychodd Taid ddwy waith. 'Na, nid tro 'ma. Dos di.' Petrusodd. 'Mae hi'n dallt, weldi.'

Roedd yn anodd iawn iddo gredu hynny, ond fe aeth i mewn i'r tŷ. Cafodd hyd i Nain yn y tŷ llaeth. Roedd yn amlwg ei bod hi newydd orffen corddi, wedi casglu'r menyn o'r corddwr, ac wrthi'n ei ddobio i siâp hwylus â dau ddarn o bren pwrpasol. Gwyliodd hi wrth ei gwaith am ychydig, yr un o'r ddau'n dweud dim, a'i anesmwythder o'n cynyddu o hyd.

'Fuost ti'n crio yn y sgubor?'

'Dim llawer.'

Cododd hi'i phen i syllu ar ei wyneb. Aeth ymlaen gyda thrin y menyn.

'Dim llawer, meddet ti. Ac yn ista eto ar yr hen sachau tamp 'na. Gwranda, Robat, tro nesa y bydd rhaid i ti grio dos i dy lofft i neud. Wnei di?'

Ddywedodd o ddim ac edrychodd i lawr ar ei ddwylo. Peidiodd hithau â thrin y menyn, ac wedi troi ato siaradodd yn ddistawach.

'Rhaid i ti gofio, Robat, fod y tŷ 'ma wedi hen arfer efo rhywun yn crio'n ddiweddar.'

Cododd ei ben ac edrychodd y ddau ar ei gilydd. Fflachiodd y syniad trwy ei feddwl ei bod am roi ei breichiau amdano a'i wasgu i'w chesail. Dyna fyddai Mami a Nana wedi'i neud, neu hyd yn oed Anti Mair. Wnaeth Nain ddim, ond yn lle mynd ymlaen â siapio'r menyn daliai i syllu arno.

'Ddeuda i rwbath arall wrthat ti . . .' Cymrodd wynt hir, a meddyliodd nad oedd o erioed wedi'i chlywed hi'n siarad cymaint o'r blaen. 'Mae crio yn medru helpu tipyn ar yr un sy piau'r dagra . . . ond paid â disgwyl iddo newid dim . . . na dŵad â neb yn ôl i ti.'

Aeth ati i osod lwmp mawr o'r menyn mewn rhywbeth tebyg i sosban fach bren heb handlen iddi. Wedi i Nain daro top y menyn yn y sosban nes ei fod wedi'i wasgu'n dynn ynddi a'i dop yn hollol fflat, fe wthiodd y gwaelod gan wthio'r menyn allan yn siâp crwn twt. Fe welodd o rai tebyg lawer gwaith ar silffoedd siopau groser yn Stryd Fawr y dref. Ond beth a dynnodd ei sylw fwyaf oedd patrwm o lun buwch a choeden a giât cae a ymddangosai bellach ar dop y menyn. Roedd arno isio gofyn o ble daeth y llun mor sydyn, ond ofynnodd o ddim byd iddi.

Doedd o erioed wedi gofyn cwestiwn iddi – wedi osgoi siarad efo hi heblaw i ateb ei chwestiynau. Ac os oedd yn bosib, ni roddodd fwy o ateb i'r rheini na nodio neu ysgwyd ei ben, neu – os gallai – beidio â'i hateb fel petai o heb ei deall. Ei ofn parhaus oedd y byddai pob gair a siaradai wrthi'n rhoi cyfle pellach iddi weld rhyw fai arno. Felly ddywedodd o ddim am y llun neis ar y menyn, ac aeth hithau – ar ôl golchi'r sosban bren – i drin mwy o'r menyn. Ar ganol gwneud fe drodd hi ato.

'Yli, y tro nesa fydd dy daid yn gofyn i ti fynd efo fo i'r ardd, dos di, Robat.' Nodiodd o 'i ben. 'Paid ti ag anghofio mynd eto . . . na wnei?'

Nodiodd ei ben unwaith yn rhagor gan ddweud yn ddistaw bach,

'Wna i ddim.'

'Achos mae dy fod ti'n mynd efo fo'n bwysig iawn i dy daid rŵan.'

Fel petai o wedi'i deall hi'n iawn, nòd arall go fawr gafodd hi eto. Ond roedd yna gwestiynau roedd rhaid mentro'u gofyn faint bynnag y byddai hi'n gweld bai arno. Clywodd ei lais yn gofyn yn aer oer y tŷ llaeth, 'Pryd ddaw Mami yn ôl i fynd â fi adra?'

'A dyna ydi'r peth pwysica'n y byd i ti, 'te?' meddai hi wrth ddal i drin y menyn.

'Ia,' atebodd mor hendant ag y medrai.

'Wel,' meddai hithau gan siarad yn arafach, 'mi ddeudodd hi y bydda hi'n dŵad fory. Ond dw i'n meddwl y bydd hi'n drennydd arni'n dŵad.'

Gofynnodd yn frysiog a'i siom yn dangos yn ei lais, 'Pa ddiwrnod ydi drennydd?'

'Dydd Mercher. Os cafodd hi'r lle hwnnw yn y siop heddiw, ella y bydd rhaid iddi alw i mewn fory ynglŷn â beth fydd ei gwaith, ac mi fydd hi wedi blino gormod i ddŵad yr holl ffordd yma wedyn. Felly, dydd Mercher y gwela i hi'n dŵad yma.' Trodd i edrych arno. 'Wyt ti'n meddwl y medri di ddal tan hynny, dywad?'

'Ond mi ddeudodd hi fory, do?' Roedd o wedi codi'i lais fymryn.

'O, do – dyna be ddeudodd hi. Ond . . .' Roedd hi'n syllu ar ei lygaid rŵan. '. . . ond fe gei di weld pan ddaw fory, cei?'

Pennod 14

Erbyn saith o'r gloch drannoeth roedd hi'n amlwg na fyddai'i fam yn cyrraedd y diwrnod hwnnw, ac mai ei nain oedd yn iawn. Ddywedodd hi ddim am y peth nes daeth hi i'w weld o yn ei wely yn dal cannwyll ar soser yn ei llaw.

'Dwyt ti ddim yn crio, nac wyt, Robat?'

'Nac 'dw.'

'Nac wyt, siŵr. Gyn ti fory arall i edrach ymlaen ato, 'does? Pan dydi hwnnw ddim gyn ti mae hi'n ddrwg.' Clywodd hi'n ochneidio'n dawel. 'Synnwn i ddim na fydd 'na lythyr yn y bora yn deud ar ba fws fydd hi'n cyrraedd. Os bydd, mi gei di fynd i lawr Lôn Gweunydd at Gwt Unnos – ond dim pellach – i'w chyfarfod hi. Wyt ti'n clywad?'

'Ydw.'

Plygodd hi drosto a disgwyliodd y byddai hi ella'n rhoi sws ar ei dalcen. Ond gwyro dros y gwely i sythu'r gobennydd wnaeth hi. A daliodd ei cheg i fod yn un lein wastad. 'Cysga di rŵan – fe ddyla'r bara llefrith poeth fod yn help. Wnei di ddim difaru'i fwyta fo i gyd.' Ac mi gerddodd at ddrws y llofft a golau'r gannwyll, pan arhosodd hi wrth y drws, yn gwneud i'w chysgod ymddangos fel un hen wrach dal yn ymestyn i lawr y wal a thros ei wely.

'A dwyt ti ddim angen y gannwyll, nac wyt?'

'Nac dw,' meddai, er y byddai'n well ganddo gael cwmpeini tyner y golau melyn. Ond doedd o ddim yn mynd i gyfaddef hynny iddi hi.

Gwyliodd oleuni olaf y gannwyll yn symud o'r golwg y tu ôl i'r drws hanner agored. Yna symudodd ei feddyliau i edrych ymlaen at yr yfory braf a fyddai o'i flaen ymhen ychydig oriau – cael bod efo'i fam, a chael gadael Bryndu am y bws efo hi. Cael croeso mawr a sgrams gan Nana, a dweud hanes Now wrth Idris. Rhoddodd stop sydyn i garlam ei ddychymyg. Mi fyddai o'n colli Now. Fase fo ddim yn dweud ei fod yn well ffrind nag Idris, ond roedd o'n wahanol. Now oedd Now – ddim yn dangos ei hun, ddim yn cogio bod yn well nag oedd o. Ac roedd Robat yn lecio hynny. Sylweddolodd mai Now yn fwy na neb arall a wnaeth y diwrnod – er y siom – yn ddigon braf ar adegau.

Rŵan yn ei wely cafodd ei hun yn gwenu wrth gofio geiriau cyntaf Now wrtho'r bore hwnnw. Daeth y ddau ar draws ei gilydd ar gornel Lôn Gweunydd a'r lôn bost wrth dalcen Bryndu.

'Hei, gwranda, Robat, be ti'n feddwl – dw i wedi taflu'r hen wats ddiawl 'na i fyny twll y simna!'

'Pam fan'no?' gofynnodd Robat yn syn.

'Wel, un o ddau beth fedar ddigwydd iddi, weldi. Mi ellith syrthio i'r tân a'i llosgi'n rhacs, neu mi welith rhyw Jac-y-do hi'n sgleinio ac mi ddwynith hi, a wela i mohoni byth wedyn. Ond, beth bynnag ddigwyddith, rôn i wedi'i rhoi mewn lle saff, on'd oeddwn?'

Wnaeth o ddim anghytuno er nad oedd o'n deall rhesymu'i ffrind. Gofynnodd, 'Ond rôn i'n meddwl dy fod ti'n lecio'r wats?'

'Tan ddoe. Ond mi 'naeth hi'n gollwng ni yn y cach, yndo? Hei, fuon nhw'n chwara'r diawl efo chdi?'

'Be?'

'Gest ti dy ddwrdio'n iawn?'

'Dim gwerth, ond rôn i wedi ypsetio'n arw pan glywis i fod Mami wedi mynd hebddo' i.'

'Glywis inna hynny hefyd.'

Dangosodd Robat ei syndod ar ei wyneb. 'Ond sut gest ti glywad?'

'Es i at gornel Lôn Gweunydd ar ôl te – ti'n cofio lle gwelist ti fi'r tro cynta hwnnw?'

'Ydw'n iawn.'

'Wel i fanno es i ar feic Elin – Mam 'di hi. Roedd hi wedi mynd allan. Ac mi welis hogan ffarm Gweunydd Ucha. Honno ddeudodd ei bod hi wedi gweld dynes ddiarth smart efo gwallt melyn yn ei heglu hi am Dŷ Cerrig.'

'Ia, Mami oedd honno,' meddai Robat wedi'i blesio efo'r disgrifiad ohoni. 'Ti'n cael gwbod pob dim, on' dwyt, Now?'

Gwenodd yr hogyn pengoch. 'Dw i wedi cal gwbod rhwbath arall hefyd . . .' Edrychodd tua ffenestri'r tŷ. Rhoddodd ei geg wrth glust Robat a'i law fel pont dros y geg a'r glust, ac aeth ei lais yn is. 'Mae dy nain yn ffenast y gegin yn ein watsiad ni.'

Wedi i Robat droi fymryn ar ei ben gallai weld llygaid brown Nain yn syllu arno trwy ddarnau gwag ym mhatrwm y cyrtan les.

Daeth sibrwd uchel Now yn wlyb yn ei glust. 'Fedra i ddim deud wrthat ti, weldi, a hitha o gwmpas yn sbecian arnon ni. Gawn ni chwara gêm?'

Dangosodd Robat ddiddordeb yn syth. 'Pa gêm – ffwtbol? 'Sgyn ti bêl?'

'Nac oes, ond dw i wedi bod yn cicio hen het mam Elin wedi'i llenwi efo hen sana. Ac mi naeth Elin wnïo'r het at ei gilydd i mi. Wnaiff honno, dywad?' Nodiodd Robat. 'Ddo i â hi efo fi ar ôl cinio,' meddai Now.

Ni fu'r prynhawn yn ddifyr i gyd, cofiodd Robat, gan i hanner ei feddwl fod ar ddisgwyl ei fam. Ar ben hynny, ffwtbol go sâl oedd hen het nain Now. Yn un peth roedd bowndio'r mymryn lleiaf yn hollol ddiarth iddi. Hyd yn oed ar ôl cael ei chicio droedfeddi i'r awyr fe ddisgynnai'n ei hôl ar y lôn bost efo cymaint o fywyd â sachaid o datws. Pêl farw oedd hi. Ac ar ben hynny wedyn doedd gan Now ddim clem ar sut i ddal pêl – hyd yn oed un mor ddiffrwt – na sut i'w chicio. Ond roedden nhw wedi chwerthin yn enwedig pan fyddai Now yn cicio'r ddaear yn lle'r het, neu pan faglodd Robat drosti, neu pan fethodd Now â'i dal a chael ei daro ar ganol ei wyneb nes gwneud iddo syrthio ar ei ben-ôl i'r clawdd gyda'r sanau'n disgyn o'r het yn gawod flêr ar ei ben.

Aeth Robat i eistedd efo fo, a bu'r ddau yn gwthio'i gilydd gan chwerthin wrth ail-fyw'r hwyl efo'r bêl wirion. Yna distawodd Now yn sydyn a chodi ar ei draed.

'Ella y byddi di'n mynd yn d'ôl heno.'

'Neu fory.'

'Wel . . . dydw i ddim yn lecio deud ta-ta . . . o gwbwl.' Cododd yr hen het a'i rhoi dan ei fraich fel petai hi'n rhywbeth gwerthfawr. 'Ond dw i'n mynd i dy golli di, Robat Wyn Lewis . . .'

'Yli, Now . . .' dechreuodd Robat. Ond roedd Now wedi cychwyn i lawr y lôn bost i gyfeiriad Rhosceinwen a thŷ ei fam.

Pennod 15

Symudodd yn anesmwyth yn ei wely. 'Doedd o'n rhyfedd fel roedd peth da a pheth drwg yn sownd wrth ei gilydd weithiau? Hwyl y prynhawn hwnnw efo Now, a'r siom nad oedd ei fam wedi dod i'w nôl. Ond rŵan yn ei wely wrth iddo droi eto ar ei ochr arall, ffurfiodd un syniad yn glir a phendant yn ei feddwl – iddo fo doedd neb na dim yn bwysicach na bod efo'i fam yn nhŷ Nana.

Bore trannoedd cafodd lythyr oddi wrth ei fam yn dweud y byddai hi'n cyrraedd efo bws tri o'r gloch. Wrth gwrs, roedd o ar ben ei ddigon ac ni wnaeth y tywydd gwlyb effeithio dim ar ei ysbryd. Daeth un gawod Ebrill ar ôl y llall i yrru'r ieir mewn brys ar draws y cowt i chwilio am gysgod yn eu cwt, yn nrws y sgubor neu yn 'rardd ŷd. Doedd dim golwg o ben coch ar sgowt o gwmpas pen y lôn, felly fe fu Robat wrthi'n trio diddori'i hun yn y gegin. Eisteddai wrth y bwrdd mawr, â phapur a phensel o'i flaen, ac wrth ei ymyl llyfr o luniau am straeon o'r Beibl. Roedd Nain ar ei phengliniau yn blacledio'r stôf nes bod honno'n sgleinio fel talcen dyn du. Daeth sŵn Taid yn pesychu yn y portico wrth iddo ddisgwyl i'r glaw beidio. Galwodd Nain arno, 'Paid ti â mentro allan yn hwn, Tomos, neu diodda fyddi di heno. Ti'n clywad?'

'Fe wn i hynny, siŵr,' meddai Taid.

Trodd Nain i edrych ar Robat.

'Roedd y llyfr yna gyn dy dad, Wncl Huw a dy Anti Mair, a sbia glân maen nhw wedi'i gadw fo. Wyt ti'n gweld?'

Roedd hi'n mynnu cael ateb o hyd gan bawb fel petai hi'n frenhines neu rywbeth.

'Ydw,' meddai Robat.

'Wel, darllena rywfaint ohono, neu gwna gopi o un o'r llunia. Daw dy fam ynghynt os byddi di wrthi'n brysur. Dechreua rŵan – wnei di?'

Nodiodd arni ac agor y llyfr. Aeth hithau ymlaen efo'r blacledio. Treiodd ddarllen tipyn er bod rhai o'r geiriau'n anodd neu'n rhy ddiarth iddo. Blinodd ar hynny a dechreuodd wneud copi o lun o Iesu Grist efo lot o ddynion ar lan y môr. Ond doedd ganddo fawr o ddiddordeb. Roedd ei feddyliau'n aflonydd: o hyd deuai'n ôl i'r un syniad – i'r glaw stopio ac iddo gael cychwyn i gyfarfod ei fam. Dechreuodd chwarae efo blaen ei bensel yn gwneud rhyw sgriblio dibwrpas. Roedd ei feddwl ymhell yn y dre lle câi fynd efo Nana i'r Arcadia eto a chael *chips* a phys slwtsh ar y ffordd adre. Heb rybudd o gwbwl, ar draws canol y darlun difyr, daeth llais Nain yn oer ac uchel.

'A phwy sydd wedi rhoi cyrls i Seimon Pedr a mwstásh du i Ioan y Disgybl Annwyl? Rhag dy gywilydd di, Robat Wyn!'

Clywodd Taid sŵn uwch ei llais a daeth i mewn o'r portico gyda sach dros ei 'sgwyddau.

'Sbia be ma'r hogyn 'ma 'di neud ar un o lyfrau Beiblaidd yr hogia. Sbia!' Symudodd blaen ei bys o'r cyrls i'r mwstásh du.

'Wel, ia,' meddai Taid yn araf, 'ond mi fasa wedi medru bod yn waeth.'

'Be ti'n feddwl?' gofynnodd hi'n ddigon blin.

'O leia doedd yr hogyn ddim yn teimlo bod 'na waith gwella ar Iesu Grist.'

Cafodd clywed hynny effaith ar Nain yn syth. Edrychodd yn llai blin, a heb ddweud gair arall aeth i ddrôr isaf cwpwrdd y gegin a thynnu ohoni focs bach main. Daeth â hwnnw at y bwrdd a'i osod o flaen Robat.

'Hen focs penseli dy Anti Mair. Mae 'na rwber gwyn

tu mewn. 'Ti'n gwbod yn iawn be sy'n rhaid i ti'i neud efo fo.'

Nodiodd. Gwaith hawdd oedd cael gwared o gyrls Seimon Pedr, ond profodd mwstásh y Disgybl Annwyl yn llawer mwy styfnig.

'Rhaid dy fod ti 'di pwyso ar y bensel fel peth gwirion.' Roedd Nain yn sbio'n fanwl ar y llun. 'Mi wnaiff y tro. Ond mae'n rhaid i ti ddysgu parchu petha.'

'A phobl,' meddai Taid.

Synnodd Robat glywed Taid yn ychwanegu at ddwrdio Nain. Edrychodd i'w wyneb, a chafodd hanner winc yn ôl.

Parhaodd y glaw bron at amser cinio. Yna daeth yr haul allan yn gryf a sydyn fel petai wedi bod yn disgwyl ar hyd y bore am ei gyfle. Byrstiodd drwy ymylon bratiog twmpath o hen gymylau llwyd gan daflu'i belydrau ar Bryndu a'r byd o'i gwmpas. Pob tro y gwelai Robat hyn yn digwydd fedrai o ddim peidio â rhyfeddu. Dotio at fel y gallai'r haul – mor gyflym â gwên ar wyneb – trwy'i oleuni anferth a'i gynhesrwydd droi unrhyw fan, hyd yn oed Bryndu, yn rhywle gwerth bod yno. Wrth sefyll wrth giât y cowt gyda gwres yr haul ar ei wyneb gallai glywed ogla Lôn Gweunydd yn sychu. Rhywbeth i'w hoffi oedd hwnnw – ogla i godi calon oedd o.

A gallai glywed sŵn deffro yn y gwrychoedd a gwaelodion y cloddiau. Dychmygodd fod eu llond nhw o adar a chreaduriaid bach, a phob math o bryfed wedi codi'u calonnau hefyd wrth weld a theimlo'r haul. Yn ei oleuni ymddangosai yr holl liwiau yn dlysach ac yn fwy eglur – y dail a'r gwelltglas a'r blodau cynnar yma ac acw. Roedd gwydrau ffenestri'n sgleinio, a hyd yn oed toeau tai, a wyneb y lôn a'r cerrig yn y cloddiau yn edrych yn fwy lliwgar.

Y tu ôl iddo clywai sŵn yr ieir yn siarad efo'i gilydd wrth grafu am fwyd newydd yn dilyn y glaw ar y cowt. Yna un iâr ddu yn creu mwy o sŵn na'r lleill i gyd wrth iddi gamu'n araf i lawr o ganol y dail poethion ar ben y wal rhwng y tŷ bach a'r beudy. Gwyddai Robat oddi wrth ei sŵn bod hi newydd ddodwy ŵy.

O gyfeiriad drws y portico daeth ogla bacwn yn ffrio. Hoffai'r ogla'n arw – nid cymaint ag un *penny ducks* yn ffrio, ond fel sgram fe wnâi'r tro'n iawn. Wedi'r cwbwl, y diwrnod hwnnw nid y cinio oedd bwysicaf ond be fyddai'n ei ddilyn cyn diwedd y prynhawn. Rhwng mwynhau'r haul, gwybod y byddai yna ginio blasus ac edrych ymlaen at weld ei fam, teimlai'n hapusach nag y buodd ers diwrnodau. Yn sydyn cofiodd am yr hwyl gafodd o efo Now wrth gicio'r hen het. Roedd wedi mwynhau'r gêm yn arw iawn. Ond sbel fach o hwyl oedd hynny ynghanol oriau o ddiodde bod dan lygaid blin ei nain ym Mryndu. Heddiw oedd diwrnod y dianc yn yr haul.

Ond yn y diwedd fuodd yna ddim dianc. Daliai hynny i fod yn rhywbeth i ddod ar ddiwrnod arall neu ymhen dau neu dri. Fel gwaelod yr enfys, bob tro roedd rhywun ar fin ei gyrraedd, byddai'n symud ychydig ymhellach oddi wrtho. Felly'n union y digwyddodd hi eto'r prynhawn heulog hwnnw.

Pennod 16

Chafodd Robat ddim cychwyn hyd yn oed i lawr lôn Gweunydd, a'r rheswm oedd bod ei fam wedi cyrraedd Bryndu ychydig cyn hanner awr wedi dau mewn fan wen ac arni'r geiriau *Philips for fish, fruit and flowers.* Yn naturiol roedd Robat wrth ei fodd. Ond teimlai ias o anesmwythder pan welodd ddyn yn dilyn ei fam o'r fan gyda bag cario yn ei law a dillad ynddo. Dywedodd ei fam wrth Taid a Nain mai gyrrwr y fan oedd biau'r siop gwerthu pysgod a ffrwythau lle roedd hi'n mynd i ddechrau gweithio yr wythnos ganlynol. Cawsom wybod mai Mistar Philips oedd enw'r dyn a'i fod o'n ffeind iawn. Ond doedd Robat ddim mor siŵr ei fod yn ei lecio. Yn un peth dim ond unwaith yr edrychodd y dyn arno, ac fe wnaeth hynny heb wenu o gwbwl. Ond gwenai o hyd ar Taid a Nain.

Yn fuan fe beidiodd Robat â gwrando arnyn nhw, ac aeth i drio dyfalu dillad pwy oedd yn y bag cario. Gwyrodd ei hun ychydig i gael gweld ceg y bag yn well. Gwelodd lawes siersi – un o'i rai o! Trodd i syllu ar ei fam gan obeithio y câi arwydd ganddi fod popeth yn iawn. Pan welodd hi'i fod o'n edrych arni gwenodd yn annwyl a chwythu sws ato. Teimlai'n well – fyddai hi byth yn chwarae hen dric arno fo, o bawb.

Crwydrodd ei feddyliau eto. Peth rhyfedd oedd iddo fethu â gweld Now trwy'r dydd. Falle'i fod o'n loetran wrth y gornel lle gwelodd Robat o'r tro cynta'n disgwyl amdano . . . Now druan. Pryd welai o 'i ffrind eto? Byth? Roedd o isio dod yno efo'i fam neu Nana weithiau yn yr haf iddo gael hwyl efo Now. Fyddai'i fam byth yn gwrthod hynny. Cafodd ryw syniad fod yna sôn yn sgwrsio'r lleill amdano fo a'r dillad yn y bag.

'Dim ond tan ddydd Sul, cariad bach,' meddai'i fam yn trio gwenu.

'Be, Mami?' a'i lais yn dangos ei ofn.

'Wnest ti ddim gwrando, Robat?'

'Wn i ddim. Gwrando ar be?' Edrychodd i lygaid ei fam, yna'n frysiog ar y lleill. Doedd yr un ohonyn nhw'n gwenu, a'r dyn diarth yn edrych yn flin.

Dechreuodd ei fam siarad yn araf fel 'tase hi isio iddo ddeall pob gair. 'Gwranda di rŵan – mae Nana ar ganol sbringclinio er mwyn i ti gael dŵad yn ôl o dy holide efo Taid a Nain i dŷ glân neis, ac ogla ffres ynddo. A wyddost ti be, mae Nana am beintio seilin dy lofft bach di yn lliw crîm cynnes crand. Mi fydd y cwbwl yn barod erbyn y doi di'n ôl ddydd Sul.'

'Ond heddiw dw i'n mynd adra efo chi!'

Trodd Mami'i golwg yn gyflym ar Mistar Philips oedd yn edrych yn fwy blin ac wedi dechrau ysgwyd un droed yn aflonydd. Aeth pawb yn dawel am ennyd, yna siaradodd y dyn diarth,

'Rhaid i chi ddangos, Sal . . . Mrs. Lewis . . . pwy 'di'r bòs.'

A dyna be wnaeth Mami – o bawb, dweud wrth Robat yn bendant iawn bod yn rhaid iddo aros lle'r oedd o tan y Sul. Doedd hi ddim yn byhafio fel y fam annwyl roedd o wedi meddwl y byd ohoni erioed. A doedd hi ddim fel 'tase hi'n medru gwrando o gwbwl ar be oedd arno fo'i isio. Yn y diwedd un wrth drio'i chael i ddangos rhyw fymryn o'i phiti arferol, mi ddywedodd o,

'Ond ella ddowch chi ddim i 'nôl i ddydd Sul chwaith . . .' Gadawodd i'w lais dorri; fel arfer fe fyddai hynny'n ddigon i'w fam droi'n neis efo fo. 'A be wna i wedyn, 'dwch?'

Dechreuodd ei fam edrych yn dyner arno, ond roedd blaen troed Mistar Philips yn ysgwyd eto. Clywodd sŵn diarth yn ei llais hi.

''Taset ti ond yn meddwl, Robat, mae'n rhaid i mi ddŵad ddydd Sul – mae'r ysgol yn ailagor ddydd Llun. A ti'n gwybod yn iawn bod rhaid i ti fynd i fan'no . . .'

Trwy hyn i gyd ddywedodd Taid a Nain ddim byd ond roeddan nhw'n syllu ar ei fam a'r dyn diarth. Plygodd hwnnw'i ben yn nes at ei fam a dweud rhywbeth yn ddistaw iawn. 'A pheth arall,' meddai hi'n sydyn, 'os dw i'n deud y do i dy nôl di ddydd Sul, dŵad wna i siŵr. Mi ddois i heddiw, do!'

Do, ond efo pwy a pham? Dyma aeth drwy'i feddwl ond roedd o wedi'i ypsetio gormod i'w hateb hi, hyd yn oed 'tase fo'n gwybod beth i'w ddweud.

Dim mwy nag y gwyddai beth i'w ddweud pan roddodd hi ddwy sws fawr iddo a'i wasgu i'w chesail wrth ymyl y fan wen. Teimlai y dylai ddweud cymaint roedd o'n ei charu hi, ac fel roedd ei hiraeth amdani'n ofnadwy, ac fel roedd o isio gofyn a oedd hi'n dal i'w garu o 'run fath ag erioed ynte a oedd Mistar Philips wedi newid petha? Rhywsut medrodd ddweud y peth symlaf o'r cwbwl.

'Dw i'n ych caru chi'n fwy na neb.' Cafodd sws arall am hynny cyn i'w fam gamu i'r fan.

Gwaeddodd hi trwy'r ffenest hanner agored, 'Bydda'n hogyn da i Taid a Nain . . . tan ddydd Sul, cofia.'

Gwyliodd hi'n codi'i llaw arno drwy'r ffenest nes y diflannodd y llaw a'r fan heibio i'r troad cyntaf yn y lôn bost. Gallai ddal i glywed injan y fan yn brysio i ffwrdd. Arhosodd ar ben y lôn nes y distawodd y sŵn hwnnw hefyd. Gwyddai wedyn fod ei fam wedi mynd, a dyna fo. Rŵan roedd yn rhaid ailddechrau diodde'r hiraeth amdani. Os syrthiai'n drwm ar ei ben-glin, roedd o'n disgwyl diodde poen ynddi wedyn – a dyna fo. Digon tebyg oedd hi arno rŵan – ond fe ddaliodd o hiraeth o'r blaen ac fe wnâi hynny eto.

Bellach gallai glywed sŵn adar bach a'r ieir ar y cowt, ond doedd dim ots ganddo amdanyn nhw. Ddim mwy nag oedd ots ganddo am y tlysni a greai'r haul o'i gwmpas. Roedd popeth wedi newid a'r diwrnod wedi'i ddifetha'n rhacs . . . Clywodd sŵn y tu ôl iddo a gwelodd Taid yn camu'n araf ato. Roedd yna hanner gwên o dan y mwstásh.

'Wel, wel, 'rhen Robat Wyn, sut rwyt ti erbyn hyn? Oeddat ti'n gwbod bod dy daid yn barddoni weithia?'

'Yn be?'

'Sgwennu penillion.'

'Mi ddeudodd Anti Mair.'

Syllodd Taid ar ei wyneb a diolchodd Robat nad oedd o hyd yn oed wedi dechrau crio.

'Paid â rhoi dy galon i lawr, 'ngwas i. Mae 'na ddaioni'n codi weithia allan o'r petha salaf – fel siom. Dyna i ti Seimon Pedr – hwnnw roeddat ti'n meddwl ei fod o angen cyrls fel chdi . . .' Daeth sŵn chwerthin cryg o wddw Taid. Wedi clirio'i wddw, aeth ymlaen. 'Wel mi siomodd Seimon Pedr Iesu Grist yn arw, weldi. Ond yn y diwedd chafodd yr Iesu ddim ffrind gwell. Ti'n gweld, 'ngwas i, mae amser yn ein newid ni i gyd: newid dy fam, Nain a finna, a chditha hefyd . . . bron heb i ni wbod hynny. Ond mae o'n digwydd – wnest ti ddim rhedeg i'r sgubor i grio rŵan, naddo?'

'Ond mae gyn i hiraeth 'run fath.'

'Mae Nain a finna'n dallt hynny'n iawn.'

'Ond dydi hi ddim isio i mi chwara efo Now.'

Roedd Taid yn hanner gwenu eto. 'Fasat ti'n deud bod hynny wedi dy stopio di hyd yn hyn?'

Wedi cychwyn yn ei ôl i gyfeiriad y cwt moch, arhosodd Taid ac meddai mewn llais uwch nag arfer. 'O, ia, os gweli di foto beic yn cymryd y tro acw ar un olwyn, dy Wncl Huw fydd o. Beth bynnag wnei di, paid ag aros ar ganol y lôn! Mi ddaw yn gynnar 'rôl te nos Fercher fel arfer. Un garw ydi dy Wncl Huw, ond dw i'n meddwl y leci di o. Ac ar ben hynny mae dy Anti Mair yn siŵr o ddŵad i weld sut rydan ni cyn y Sul.'

'Dw i'n lecio hi,' meddai Robat yn syth.

'Pawb yn hoff o Mair. Felly, ti'n gweld, mae gyn ti

nifer o betha difyr i edrych ymlaen atyn nhw.'

Synnodd glywed ei daid yn siarad cymaint efo fo, a heb besychu chwaith, meddyliodd Robat wrth ddal i loetran ar ben y lôn, gan syllu bob hyn a hyn i gyfeiriad cartre Now. Ond roedd y lôn bost yn hollol dawel heb neb na char na throl yn symud arni.

Beth oedd ganddo i edrych ymlaen ato? Wel, mi fyddai'n braf cael bod efo Anti Mair eto. Roedd hi'n ei ddeall o, ac yn ffeind bob amser. Doedd o ddim mor siŵr o'i Wncl Huw. Cofiodd ei weld yng nghynhebrwng ei dad ac wedyn ym Mryndu. Ond ychydig iawn oedd Wncl Huw wedi'i ddweud wrtho fel 'tase'i feddwl ar rywbeth pwysicach o hyd. A rŵan roedd o newydd gael rhyw bictiwr gan Taid o'i Wncl fel dyn gwyllt a gwirion. Teimlai'r syniad yn dechrau'i ddychryn. I ddweud y gwir mi fyddai'n well ganddo 'tase'i wncl ddim yn dod.

Pennod 17

Ond erbyn diwedd y diwrnod gorlawn hwnnw, roedd gan Robat Wyn arwr newydd sbon, a'i Wncl Huw oedd hwnnw. Dim ond un dyn arall yn yr holl fyd i gyd oedd yn fwy o foi nag o – Tom Mix. A byddai'n well i Tom Mix fod ar ei ora neu nymbar tw fyddai'i le yntau reit fuan!

Fe gofiai Robat am hir iawn weld Wncl Huw yn cyrraedd Bryndu. Ar y pryd roedd Robat efo'i ffon wrthi'n chwalu'r dail poethion ar ben y wal wastad rhwng y tŷ bach a'r beudy. Roedd o yno am fod Nain isio iddo chwilio lle roedd yr iâr fach ddu – yr ora am ddodwy o'r ieir i gyd – yn cuddio'i hwyau. Fe ofynnodd am ei help gan ei bod yn mynd i'r farchnad yn Llangefni fory ac isio hel hynny o wyau oedd ar gael i'w gwerthu gyda'r pwysi menyn. Eglurodd fod Taid wedi bod yn chwilio'n barod ond heb gael hyd i wyau wedi'u cuddio. Dyma'r tro cyntaf i Nain ofyn iddo wneud dim i'w helpu ac aeth ati i chwilio'n syth. Yna cofiodd lle gwelodd o'r iâr fach ddu yn dod ohono. Byddai wrth ei fodd yn cael rhoi syrpréis i Nain o bawb a'i chlywed hi'n diolch iddo ac yn gwenu, falle – am y tro cynta yn ei bywyd.

Ond nid peth hawdd oedd chwilio drwy'r dail poethion. Roedd gormod ohonyn nhw, a'u coesau'n rhy gryf i'w ffon o. Roedd yntau wedi blino ac ofn cael ei bigo gan y dail. Pan oedd ar fin rhoi'r gorau iddi clywodd sŵn rhuo'n tyfu bob eiliad wrth i rywbeth rasio o gyfeiriad y pentre. Daeth yn amlwg fod ieir Bryndu'n adnabod y sŵn achos fe ddechreuon nhw redeg neu hedfan fel pethau gwirion a tharo yn erbyn ei gilydd dan weiddi yn eu hawydd i adael y cowt am rywle saff. Bron wrth eu cynffonnau hyrddiodd moto beic coch ei hun a'i reidar trwy'r giât, ac ar draws y cowt nes sgidio i stop gwyllt wrth ddrws y portico.

Â'i geg yn agored gwyliodd Robat y reidar yn dod oddi ar y beic ond fe wyddai pwy oedd o cyn i'r dyn dynnu'i gogls a'i gap lledr. Dim rhyfedd i Taid ddweud fod Wncl Huw yn un garw! Ond wrth i'w ewyrth ddod i lawr o'r beic daeth Nain i ddrws y portico. Gallai Robat glywed ei llais o ben y wal.

'Dwyt ti ddim yn gall, Huw! Be 'tase'r hogyn bach 'ma wedi bod ar y cowt!'

'Peidiwch â chynhyrfu, Mam, rôn i wedi'i weld o ar dop y clawdd.' Trodd y ddau i edrych ar Robat.

'Be aflwydd wnaeth i ti fynd i fanna, dywad? Ty'd i lawr y munud 'ma . . .' Newidiodd Nain ei meddwl yn syth. 'Na, na, aros lle rwyt ti rhag ofn i ti syrthio ac achosi mwy o helynt. Huw, dos i nôl o, wir. Gewch chi de efo'ch gilydd wedyn.'

Camodd Wncl Huw at Nain a'i chusanu ar ei thalcen. 'A sut 'dach chi, Mam fach, erbyn hyn, 'dwch?'

Roedd hi wedi edrych i'w wyneb cyn ateb a gafael yn ei fraich. 'Falch o dy weld di . . . falch iawn. Faint fedri di aros, 'ngwas i?'

'Heno. A' i'n f'ôl ar ôl te fory.'

'O, iawn. Rŵan dos i nôl y creadur bach 'na cyn iddo gael ei bigo.'

Chafodd o mo'i bigo, ac yn well byth cafodd hyd i un ar ddeg o wyau brown yr iâr fach ddu bron o'r golwg ynghanol y dail poethion talaf. Wncl Huw fedrodd gyrraedd yr wyau, a fo roddodd nhw'n ofalus yn ei gap lledr peilot eroplên. Ond fe ddywedodd mai Robat ddylai fynd â nhw i Nain, achos wedi'r cwbwl y fo a neb arall ffendiodd nhw.

Pan roddodd o'r wyau yn y cap i Nain dychmygodd y byddai hi'n diolch yn fawr ac yn ei ganmol. Ond nid dyna be wnaeth hi.

'Wel, wir,' meddai hi, 'a fanno roeddan nhw ar hyd yr adeg. Pwy fasa 'di meddwl 'te . . . pwy . . .?' Rŵan roedd hi'n syllu ar yr wyau bron fel 'tase hi wedi dotio arnyn nhw. Pan siaradodd wedyn roedd ei llais yn wannach. 'Rhyfadd 'te ac eto dydi o ddim . . . un o'r gora oedd dy dad hefyd am ffendio . . .' Trodd oddi wrth y bwrdd gan chwilio ym mhoced ei brat. 'Wedi gadael fy ffunen boced yn y tŷ llaeth, ma'n rhaid.' Aeth yn syth am y drws i'r tŷ llaeth heb edrych o gwbwl ar y ddau wrth y bwrdd. Methai Robat â deall y ffordd roedd hi'n byhafio. Be wnaeth o o'i le? Trodd at Wncl Huw.

'Wnes i ddim byd, naddo?'

Gwenodd ei Wncl arno. 'Naddo, siŵr. Ond wyt ti am adael rhywfaint o'r jam 'na i mi?'

Yn syth, teimlai Robat yn annifyr wrth weld fod gormod o lawer o jam cyrens duon ar ei blât. Cyn iddo fedru rhoi peth yn ôl yn y pot siaradodd Nain o'r drws.

'A phwy fuodd yn farus efo'r jam?' Roedd ei llais yn gryf ac roedd hi'n syllu ar Robat.

'Fi roddodd ormod ar blât yr hogyn 'ma,' meddai Wncl Huw.

'Ia, m'wn,' meddai Nain.

Wrth i Wncl Huw godi peth o'r jam ar ei blât ei hun, cafodd Robat winc fach ganddo.

Cynyddodd edmygedd Robat o'i ewyrth fwy byth ar ôl iddo gynnig mynd â Robat am reid bach ar y moto beic coch. Wrth gwrs gwrthod y syniad yn bendant iawn a wnaeth Nain, a dyna oedd Robat wedi'i ddisgwyl. Ac am nad oedd o erioed wedi bod ar gefn peth mor beryg â moto beic a'i fod o'u hofn nhw beth bynnag, doedd o ddim wedi'i siomi o gwbwl.

Aeth allan i'r cowt tra daliai'i nain a'i ewyrth i siarad yn y gegin. Ymhen ychydig daeth yn ei ôl i'r portico gan obeithio cael cwmpeini Wncl Huw. Wydden nhw ddim ei fod o yno a fedrai o mo'u gweld nhw, ond digwyddodd glywed diwedd eu sgwrs. Clywodd lais Nain,

'Dim ond i lawr Lôn Gweunydd 'ta. A hynny'n ara deg iawn. Ti'n dallt rŵan, Huw?'

'Pob gair. Fydd o'n iawn efo fi, siŵr, Mam.'

'Wel, dydw i ddim mor siŵr.'

'Dowch o'na rŵan, Mam. Ges i ddamwain neu godwm erioed efo'r beic 'na?'

'Lwc mwnci,' meddai Nain. 'Ond nid amdanat ti fydda i'n poeni heno. Huw . . . os digwyddith rhwbath i'r hogyn bach 'na . . .' Aeth ei llais yn wan eto. 'Dw i'n deud wrthat ti mi fydd yn ddigon i mi.'

Digon o be? meddyliodd Robat wedi'i gyffroi'n sydyn gan y posibilrwydd o gael mynd ar y beic. Ond cymysgedd o ofn ac edrych ymlaen oedd ei gyffro. Daeth ei llais hi eto,

'Dw i'n cyfadda y gwnaiff o les iddo. Ond wyt ti'n addo wrtha i y bydd o'n ddigon y tu ôl i ti os byddi di'n saethu?'

'Mam, Mam, dw i 'di hen arfer – 'dach chitha'n gwbod hynny.'

'Ond wnei di . . .'

Llais Wncl Huw ar ei thraws yn bendant iawn. 'Mam! dw i'n addo gwneud yn union fel 'dach chi wedi deud. Ac ella, beth bynnag, fydd 'na ddim saethu o gwbwl.'

Saethu! Oedd o wedi'u clywed nhw'n iawn? Saethu be? Neu'n waeth byth, saethu pwy? Cafodd ei gyffroi gymaint fel y meddyliodd am redeg at Taid yn y cwt moch i osgoi bod efo'r Wncl rhyfedd yma a ddaeth i ypsetio'i fywyd. Roedd o wedi peidio meddwl am ei fam ers meitin. Ond wir, roedd yn well ganddo hiraeth na hyn.

Pennod 18

Doedd o ddim mor siŵr o hynny pan deimlodd ei hun yn dechrau cael blas ar gychwyn i lawr Lôn Gweunydd yn slo bach ar gefn y moto beic coch. Cafodd ei siarsio i afael yn dynn yn ochrau Wncl Huw. Gwisgai hwnnw gôt hir, ond fe ddaeth heb y cap lledr a'r gogls. Welodd Robat ddim golwg o unrhyw wn ganddo, a dechreuodd amau a oedd wedi deall y sgwrs yn iawn. Fe wnaeth Nain yn siŵr fod Robat yn gwisgo côt a'r siersi dew ddaeth y diwrnod hwnnw yn y bag cario. Wrth iddyn nhw fynd heibio i'r cwt moch a thalcen y beudy canwyd corn y moto beic. Cododd Taid ei law arnyn nhw o ddrws y beudy, a gweiddi, 'Wel dyma i chi hogia!'

Unwaith yr aethon nhw heibio'r tro cyntaf ac o olwg Bryndu, fe fu yna godi sbîd gan achosi cymaint o wynt yn taro Robat fel y gafaelodd yn dynnach byth ym melt côt fawr ei ewyrth. Deirgwaith fe stopiwyd y beic wrth gatiau caeau mawr. Bob tro gwnaeth Wncl Huw arwydd efo'i fys ar Robat i beidio gwneud sŵn o gwbwl tra oedd yntau'n edrych yn ofalus trwy'r giât ar y cae. Ar ôl gwneud hyn am y trydydd tro, trodd Wncl Huw at Robat.

'Mae'n rhaid bod nhw'n gwbod dy fod ti efo fi ac ofn dŵad allan.'

Edrychodd Robat yn syn ar ei ewyrth.

'Pwy? Pwy ydyn nhw?'

'Cwningod . . . sgyfarnogod.'

'Ond dydi rheini ddim yn beryg, Wncl Huw.'

'O, wn i'm. Os cei di gic yn dy drwyn gyn sgyfarnog

mi fydd yn ddigon i ddŵad â dagrau i dy lygaid di, was!'

Wyddai Robat ddim beth i'w feddwl. Yna gwelodd ei ewyrth yn chwerthin. 'Cogio dw i, siŵr. Ond fe wn i lle cawn i rai – ar dir y tŷ mawr. Wyt ti'n gêm?'

Nodiodd yn hollol ansicr beth y cytunodd i'w wneud.

'Hen hogyn iawn. Ond rhaid i ti fod yn ofnadwy o ddistaw, 'sti – dim siarad rhag ofn bydd y cipar o gwmpas. A rhaid i ti neud yn union fel dw i'n deud – dallt?'

'Ydw,' meddai Robat gan nodio heb syniad eto beth oedd ar fin digwydd na beth oedd cipar.

Aethon nhw yn eu blaenau am ychydig ar gefn y beic ond nid yn gyflym. Roeddan nhw wedi gadael Lôn Gweunydd ac wedi troi i lôn arall debyg iddi, ond yn fwy llydan a llawer o goed tal yn tyfu ar ei dwy ochr.

'Gatiau'r tŷ mawr,' meddai Wncl Huw wrth iddyn nhw basio pâr o gatiau mawr gwyn uchel. Wedi dod at lle'r oedd gwrychoedd isel yn tyfu o flaen y coed, fe stopiodd y beic.

'Mi guddiwn ni hwn tu ôl i'r rhain,' meddai Wncl Huw. 'Yli, mae 'na sach odanat ti ar y sêt, awn ni â hwnna efo ni.' Fe helpodd Wncl Huw Robat i ddringo'r ffens wrth i'r ddau fynd ar dir y tŷ mawr. Cerdded yn ddistaw bach wedyn heb i'r un o'r ddau ddweud gair, a choesau Robat yn dechrau blino ar gerdded o hyd dros dir anwastad.

Yna heb unrhyw rybudd fe stopiodd Wncl Huw. Wedi rhoi'r sach i Robat, mi agorodd ei gôt fawr ac o'i thu mewn tynnodd allan wn hir wedi'i blygu'n ddau. Gwnaeth y gwn yn syth a gosod cetris ynddo. Gyda'i geg yn hanner agored syllodd Robat yn hollol syn ar y cwbl. Gwyrodd Wncl Huw ei wyneb yn agos ato, a sibrwd yn isel iawn.

'Mae 'na sgyfarnog yn fan'cw – weli di hi?' Nodiodd Robat. 'Dw i'n mynd i drio'i chael hi.'

'Fydd 'na glec?' gofynnodd o mewn llais bach.

'Digon i ddychryn Tom Mix! Rho dy ddwylo dros dy glustia.'

Ufuddhaodd Robat yn syth bìn.

'Na, gwranda gynta. Gei di neud wedyn. Yn syth wedi i mi'i saethu hi, mi reda i i' nôl hi. Ond paid ti â symud modfedd o'r goedan 'ma. Yna mi fydd raid i ti redeg fel coblyn efo fi am y ffens a'r lôn. Iawn?'

Nodiodd, a'i feddwl yn llawn ofnau, amheuon a dryswch a mwy o ofn. Pan welodd ei ewyrth yn codi'r gwn gwasgodd ei ddwylo'n galed dros ei glustiau. Edrychai Wncl Huw fel y byddai dynion drwg yn gwneud wrth anelu at Tom Mix yn yr Arcadia. Fedrai o ddim diodde sbio ar y sgyfarnog.

Pan ffrwydrodd yr ergyd ar ei glyw roedd o'n waeth nag y dychmygodd o. Am eiliad teimlai fel petai'i ben wedi ei foddi mewn sŵn gan ei orfodi i gau'i lygaid. Pan agorodd nhw roedd ei ewyrth yn rhedeg nerth ei draed at lle gorweddai'r sgyfarnog. Wrth redeg plygai'r gwn a'i wthio'n ôl i'r boced sbesial yn y gôt hir. Mewn chwinciad dychwelodd at Robat gan gario'r sgyfarnog druan wrth ei thraed ôl. Er i Robat benderfynu peidio ag edrych ar y creadur marw, ffendiodd ei hun yn sbio ar ei phen a theimlo bod llygaid y sgyfarnog yn ei feio fo.

'Y sach!' Roedd gwynt Wncl Huw yn fyr. Cipiodd y sach oddi wrth Robat, a stwffiwyd y sgyfarnog iddo. 'Rheda, Robat! Rheda hynny fedri di!'

Gafaelodd Wncl Huw yn ei law, ac mi aeth hi'n andros o ras.

'Ty'd! Ty'd, Robat!'

Ond doedd ganddo fawr fwy o nerth ac roedd poenau yn ymestyn ar hyd ei goesau. Yna, i wneud popeth yn waeth, daeth sŵn lleisiau yn gweiddi o'r tu cefn iddyn nhw.

'If only we'd had the dogs, Pritchard.'

'Bound to have come this way, sir.'

Taflodd Wncl Huw ei hun a Robat y tu ôl i wrych isel.

'Dim smic,' sibrydodd yng nghlust Robat wrth i'r lleisiau ddod yn nes.

'He might have made for the main drive – an easier exit.'

'Possibly, sir.'

Roedd y lleisiau'n agos iawn, a gallai Robat glywed sŵn dau'n rhedeg ac yn anadlu'n drwm.

'Shall we split, sir, I'll go towards . . .?'

'No, no, I shall want you as witness, Pritchard, that I only shot at his legs.'

'A few pellets in them and his buttocks should slow him down, sir!'

Roedd y ddau ddyn bellach wedi dod gyferbyn â Robat a'i ewyrth. Cafodd Robat ei ddychryn gymaint nes bod ei anadl fel petai'n crynu yn ei geg.

Aeth y dynion heibio gyda sŵn eu traed yn mynd yn llai. Eisteddai Robat yn ei gwrcwd yn swatio yn erbyn Wncl Huw, weithiau â'i lygaid wedi cau a weithiau'n syllu ar y cefn o'i flaen. Roedd arno ofn symud dim, ofn codi'i ben y mymryn lleiaf rhag ofn i'r un efo'r gwn ei weld a'i saethu – fel y saethodd Wncl Huw'r sgyfarnog. Dechreuodd grynu drwyddo. Ond yna siaradodd y dynion, mor bell erbyn hyn mai prin y gallai glywed y geiriau'n iawn.

'We'll make for the drive, Pritchard. Then cut across to the fence.'

'Very good, sir.'

'Best stay together – these country buggers can turn nasty when cornered.'

'Like rats, sir . . .'

Wedi i'w lleisiau dawelu'n gyfan gwbl, cododd Wncl Huw'n ofalus ar un ben-glin a siarad yn dawel iawn.

'Da iawn chdi am fod mor ddistaw. Gei di godi rŵan, Robat bach.' Cododd ar ei draed. 'Glywist ti be ddeudson nhw, do?' Nodiodd Robat a'r cryndod yn dal i fynd drwyddo.

'Felly'r eiliad yr ân nhw o'r golwg rhaid ini ei heglu hi ar hyd y cae mawr hir 'ma a chyrraedd y ffens cyn iddyn

nhw ddŵad yn eu holau i'r cae o'r dreif. Ti'n 'nallt i?'
Roedd gormod o ofn arno i ddeall llawer o ddim, ond nodiodd.

Yn syth wedi i'r ddau ddyn ddiflannu y tu ôl i res o goed, gyda Robat yn un llaw ac yn cario'r sach gyda'r sgwarnog ynddo yn y llall, dechreuodd Wncl Huw redeg ar hyd y cae. Ond wedi i Robat faglu am yr ail dro a syrthio ar ei bengliniau stopiodd Wncl Huw.

'Does 'na ddim ond un peth amdani, weldi – rhaid i chdi fynd i'r sach hefyd.' Chafodd Robat ddim cyfle i brotestio'n fwy nag ysgwyd ei ben. Ni allai ddiodde'r syniad dychrynllyd o gael ei roi mewn sach efo corff anifail marw. Ymhen eiliad arall roedd o wedi'i gau yn y sach yn cael ei fowndio i fyny ac i lawr ar gefn Wncl Huw wrth iddo redeg nerth ei draed ar hyd y cae. Nid hynny, fodd bynnag, a drodd yr ofn yn arswyd, ond teimlo pen a chlustiau'r sgyfarnog yn taro yn erbyn croen ei goesau. Daeth yr ysfa drosto i sgrechian crefu ar ei ewyrth i'w adael allan o'r sach. Ond clywodd lais Wncl Huw yn torri trwy sŵn poenus ei anadlu.

'Dw i'n . . . gweld y ffens . . . o'n blaena ni . . . tria ddal, wnei di . . . tria d'ora.'

Caeodd Robat ei lygaid a stwffio cefn un llaw i'w geg.

'Does 'na ddim gwerth eto . . . Bydda'n barod i mi dy ollwng di . . . dros y . . .' Daeth sŵn ergyd gwn yn ffrwydro dros y cae. ''Rarglwydd mawr! Ti'n iawn? Dros y ffens rŵan!'

Ffrwydrodd ergyd arall yn nes na'r gynta, ond roedd y sach wedi cael ei ollwng i ddisgyn ar welltglas. A'r un eiliad bron sŵn traed Wncl Huw yn taro'r ddaear wrth y sach. Yna codwyd y sach yn ôl ar gefn ei ewyrth a hwnnw'n rhedeg yn gyflymach hyd yn oed nag o'r blaen gyda'i draed yn gwneud sŵn newydd cyflym ar wyneb y lôn. Teimlai'n siŵr na fedrai ddal y rhan olaf o'r ras at y moto beic heb grio neu fygu neu'r ddau. Ond fe ddaliodd o.

Mewn chwinciad roedd Wncl Huw wedi'i godi o'r sach a'i osod ar y beic ac yna, gyda'r sach dros ei ysgwydd, fe aeth ar wib i lawr y lôn. Taniodd y gwn ddwywaith wedyn.

'*Waste of cartridges, sir!*' meddai Wncl Huw yn dynwared llais un o'r dynion. Ac wrth wibio heibio i'r gatiau mawr gwyn mi gododd ei law arnyn nhw a gweiddi yn llais y dyn arall, '*Should have had the bloody dogs, Pritchard!*'

Fuodd Robat erioed mor falch o weld Lôn Gweunydd. A jyst cyn cyrraedd y tro ar waelod yr allt fach a arweiniai i Fryndu, fe stopiodd Wncl Huw, taniodd sigarét a rhoi'i fraich am Robat.

'Sut ti'n teimlo rŵan, iawn?'

Nodiodd o, 'Ydw.'

'Ti'n edrach yn llai llwyd na phan rois i di'n ôl ar y beic. Dim byd fel cael tipyn o wynt iach ar gefn moto beic i dy wella di. Rhaid i mi ddeud, welis i 'rioed hogyn bach chwech oed mor ddewr â chdi, Robat Wyn.'

Doedd dim posib i Wncl Huw wybod mor aml y bu arno isio crio, ond rywsut fe rwystrodd ei hun rhag gwneud.

'Ac yli, does gyn i ddim medal fel y V.C. i'w rhoi ond dyma hwn i ti.' Ac fe roddodd Wncl Huw bisyn swllt newydd yn sglein i gyd yn llaw Robat.

'Thenciw.'

'Dau beth arall – wel, tri i ddeud y gwir. Dw i'n difaru f'enaid 'mod i wedi mynd â chdi i'r fath drwbwl heno. Ond mi ddaethon ni allan ohoni'n iawn on'd do, boi?'

Nodiodd Robat.

'A'r ail beth ydi – gwranda. Yn un o gaeau Lôn Gweunydd wnaethon ni gael y sgyfarnog, dallt?'

'Ydw.'

'Achos os caiff dy nain wbod y gwir mi fydd 'na goblyn o le, a wnaiff hi byth adael i ti ddŵad ar y beic efo fi eto. Ti'n dallt hynny hefyd?'

'Ydw,' meddai, a'i feddyliau eto'n anesmwyth.

'A rŵan y peth ola, Robat Wyn. Dw i'n *proud* ohonat ti – yn falch o gael bod yn wncl i ti, ydw wir.' Ac fe roddodd ei fraich dros ysgwydd Robat eto a'i gwasgu.

Pennod 19

Pan aeth y ddau i mewn i'r gegin, geiriau cynta Nain oedd,

'Mae'r hogyn bach 'ma wedi cael andros o ddychryn yn rhwla.'

Edrychai Wncl Huw fel 'tase gynno fo ddim syniad am be roedd hi'n siarad. Trodd hi at Taid.

'Sbia ar ei wyneb o, Tomos. Yli llwyd ydi o, a'r llygaid 'na – sbia ar yr ofn sy ynddyn nhw.'

Wedi i Taid astudio wyneb Robat, meddai, 'Ergyd y gwn ddychrynodd o, debyg.'

'Ac mae o wedi disgyn,' meddai Nain, 'sbïwch ar ei benglinia fo.'

Gwenodd Wncl Huw, ''Dach chi'n methu dim nag 'dach, Mam.'

'Fedra i ddim fforddio gwneud pan wyt ti o gwmpas, llanc!'

'Wel, waeth i mi ddeud y gwir ddim, trio codi'r sgyfarnog wnaeth o ond doedd o ddim yn disgwyl iddi fod mor drom ac mi ollyngodd hi, ac mi ddisgynnodd o ar y cae gwlyb hwnnw sydd gyn Gweunydd Ucha.' Yr ennyd hwnnw fedrai Robat ddim edrych ar ei nain a'i daid, ac edrychodd i lawr ar ei draed gan deimlo ei fochau'n poethi.

'Mae'i wrid o wedi gwella rŵan, diolch byth,' meddai Nain.

Daeth hi i'r llofft i weld sut roedd o ychydig ar ôl iddo fynd i'w wely. Ond cadwodd ei lygaid yn dynn ynghau gan aros yn hollol lonydd a chogio'i fod yn cysgu'n drwm rhag iddi ddechrau'i holi. Teimlodd hi'n anadlu'n agos iawn ato, yna'i llaw gydag ogla sebon coch arni'n gorffwys yn ysgafn ar ei dalcen. Heb fedru rhwystro'i hun agorodd ei lygaid. Roedd y gannwyll yn agos i'w wyneb a'i nain yn syllu arno.

'Smalio cysgu rwyt ti?'

'Naci.'

'Dydi dy ben di ddim yn boeth. Wyt ti'n teimlo'n iawn, 'dwyt?'

'Ydw.'

'Dos i gysgu 'ta.' Daliodd i syllu arno. 'Taid ac Wncl Huw wedi dy ganmol di heddiw. Dim ond un arall sydd heb neud . . . ella y gwnaiff honno fory. Dibynnu sut hogyn fyddi di. Dos i gysgu'n iawn rŵan.'

Wedi iddi'i adael meddyliodd fel roedd o am y tro cynta erioed wedi trio'i thwyllo hi, o bawb. Fe fu bron iddo lwyddo . . . Ac eto rywsut roedd o'n falch na wnaeth o. Ond wedyn fe wnaeth Wncl Huw dair gwaith – efo'r jam, efo'r sgyfarnog ac efo'r baw ar ei bengliniau. Ond rargo! Roedd rhaid iddo ddeud fod Wncl Huw yn dipyn o foi.

Y noson honno, rhwng popeth, fe anghofiodd fod yr eliffant piws wedi dod yn y bag cario efo'i ddillad. Daliai'r bag i fod ar y gadair wrth y gwely. Estynnodd ei law'n gysglyd i'r bag i dynnu'r eliffant piws allan. Gwasgodd o i'w gesail, ac yn ei flinder – bron yn syth wedyn – llithrodd i gwsg trwm aflonydd.

Yn y bore pan aeth i lawr i'r gegin camodd i fwy o brysurdeb nag arfer. Cariai Taid wyau o ddrôr y cwpwrdd mawr yn y parlwr gorau i Nain yn y tŷ llaeth. Yno fe osododd hi'r pwysi menyn yn ddwy res ar waelod basged ryfedd, ddofn a llydan. Gan fod math o silff ar ben y menyn, gosododd Nain yr wyau'n ofalus mewn rhesi ar honno. Synnodd Robat weld fod Nain yn ddigon cryf i godi'r fath lwyth. Mi wnaeth efo'i dwy law. Wrth gwrs, meddyliodd Robat, byddai un llaw wedi bod yn ddigon i Wncl Huw. Pan ofynnodd i Taid lle roedd ei ewyrth atebodd Nain yn syth.

'Weli di mo hwnna cyn deg o'r gloch. Erbyn hynny mi fydda i ym marchnad Llangefni. Felly byta dy uwd heb ddim lol. Fydda i'n f'ôl ganol pnawn, a synnwn i ddim na fydd dy Anti Mair efo fi.'

Teimlodd Robat ei ysbryd yn codi'n syth a dechreuodd gamu am y gegin. Galwodd Nain ar ei ôl.

'A dydw i ddim isio clywad un gair gyn Taid i ddeud dy fod ti wedi bod yn drafferth iddo.'

Ddywedodd Robat ddim byd.

'Wnest ti glywad be ddeudis i, Robat Wyn?'

'Do, fydda i ddim yn drafferth.'

'Glywist titha hynny, do, Tomos?'

'O do,' meddai Taid mewn llais wedi blino.

Ond prin roedd Robat yn gwrando ar y ddau gan ei fod yn meddwl am bob math o bethau difyr a allai ddigwydd pan nad oedd Nain yno. Y mwyaf cyffrous fyddai cael mynd ar y moto beic eto efo Wncl Huw. Doedd o ddim hanner mor barod i fynd i saethu efo'i ewyrth eto. Ond yr hwyl fwyaf fyddai cael chwarae efo Now, heb fod Nain yn eu gwylio drwy'r bylchau yn y cyrten les. Teimlai bwl sydyn o ddigalondid yn ei daro – welodd o mo Now o gwbl ddoe, a falle'i fod o wedi mynd i ffwrdd am holide cyn i'r ysgol ailagor.

Pennod 20

Wedi i Nain ddal y bws bach arbennig ar ddydd Iau i Langefni eisteddodd y tu ôl i'r dreifar gyda'r fasged anferth ar ei glin. Gwisgai'r un dillad a oedd ganddi yn y cynhebrwng: het ddu wedi'i gwneud o wellt oedd yn sgleinio, a chôt fawr ddu o ddeunydd tebyg i flew tedi-bêr. Cododd ei llaw heb wenu ar Taid a Robat. Wrth ei gwylio hi'n pellhau oddi wrtho nes mynd o'r golwg, teimlai o 'run rhyddhad â phetai'n gwylio cwmwl mawr du yn cael ei chwythu i ffwrdd.

'Efo'r moch fydda i,' meddai Taid. 'Wedyn yn y beudy. Paid ti â chrwydro – dim pellach na'r cae isa.'

Y peth cyntaf a wnaeth Robat oedd mynd i'r sgubor i guddio'r pisyn swllt o dan yr isaf o'r sachau tatws. Am ryw reswm, wyddai o ddim yn union pam, doedd arno ddim isio i neb arall wybod fod Wncl Huw wedi rhoi'r swllt iddo, bron fel 'tase ganddo fo gywilydd ohono.

Pan ddigwyddodd Taid ei weld yn dod allan trwy ddrws y sgubor gwaeddodd.

'Tafla bedwar neu bum llond dwrn o India corn i'r ieir, wnei di, Robat? Ymhellach ymlaen pan ddôn nhw, fydd rhaid i ti fwydo'r cywion bach hefyd.'

Byddai gweld yr ieir yn rhedeg ato o bob cyfeiriad, fel petai o'r person pwysica yn y byd, yn rhoi pleser iddo. Ac roedden nhw mor ddigri – un munud yn symud yn araf a phwysig a chall. Yna'r munud nesaf yn rhedeg mor wirion ar eu coesau tenau nes baglu ar draws ei gilydd gan weiddi a swnian a siarad efo nhw'u hunain yn ddi-stop.

Roedd o mor brysur yn cael hwyl efo'r ieir fel iddo fethu â sylwi bod Now yn sefyll wrth giât y cowt. Trodd ei ben yn gyflym pan glywodd sŵn chwibanu isel ac aeth yn syth at y giât.

'Fedri di ddim mynd o'ma, na fedri,' meddai Now yn wên i gyd.

Roedd Robat mor falch o'i weld. 'Nana sy'n sbring-clinio.'

'Rargo, be 'di hynny, dywad?'

'Llnau a pheintio. Lle roeddat ti ddoe, Now?'

'Disgwyl cael dy weld di ar Lôn Gweunydd.'

'Na, wir?'

'Fues i'n siarad efo Gresi, hogan Gweunydd Ucha, wrth giât y ffarm am hydoedd yn gobeithio cael dy weld ti'n mynd am y bws. Hei, dw isio deud petha wrthat ti. Ond gofyn i dy daid, gwael, ga i ddŵad i'r cowt.'

Aeth y ddau at Taid yn y cwt moch a gofyn iddo. Fe syllodd Taid ar Now cyn ateb. 'Cei, y cowt neu'r caea'r bora 'ma. Ond dim o dy giamocs di, Now.'

'Diolch yn fawr, Tomos Lewis,' meddai Now.

Wrth arwain Now tua'r sgubor, gofynnodd Robat, 'Pam wnest ti ddim deud "Mistar Lewis"?'

'Tomos Lewis ydi'i enw fo 'te. Roedd o'n yr un dosbarth yn yr ysgol â 'nhaid. Hei, wnes i ddim deud y *secret* hwnnw wrthat ti, naddo?'

'Naddo, Now.'

Mynnodd Now fynd i mewn i'r sgubor gyntaf a hanner cau'r drws arnyn nhw cyn siarad mwy mewn llais isel.

'Wyddost ti – ond wnei di ddim deud gair wrth enaid byw, na wnei?'

'Na wna, wir.'

'Wel, roedd dy nain a 'nhaid i'n cael swsys a phetha.'

Edrychodd Robat yn hollol syn arno yn methu'n glir â choelio y medrai'i nain efo'r geg fain syth 'na gael swsys efo neb erioed, heb sôn am efo taid Now.

'Dydi hynna ddim yn wir,' meddai Robat. 'Fedar hi ddim gwenu i ddechra.'

'Ffaith i ti.' Swniai Now'n bendant iawn. 'Ond wnaeth 'nhaid a dy nain di ddigio, a fuon nhw byth yn ffrindia wedyn. Ac mi ddeuda i beth arall.'

'Be, Now?'

'A dyna pam i ti fedar hi mo 'niodda i.' Daeth golwg gas ar wyneb Now, ond diflannodd yn syth wedyn. 'Ti ddim yn 'nghoelio i, nac wyt, Robat?'

Petrusodd o. 'Dydw i ddim yn meddwl 'mod i.'

'Gofyn i Elin, ta.'

Ond gofynnodd Robat rywbeth i Now a fu ar ei feddwl er pan ddaeth i nabod ei ffrind, ond yr oedd wedi ofni y byddai codi'r cwestiwn yn boenus i'r ddau. Rŵan roedd gwybod yr ateb yn bwysig iddo – i'w cyfeill-garwch.

'Fyddi di byth yn sôn am dy dad – ydi o wedi mynd at Iesu Grist fel Dadi?'

Meddyliodd Now cyn ateb. 'Dydw i ddim yn meddwl ei fod o, 'sti – achos fod Elin yn ei alw fo'n "sglyfath" weithia.'

'Be 'di hynny?'

'Rhwbath budur.'

Roedd pa dadau oedd yn mynd neu ddim yn mynd at Iesu Grist yn bwysig i Robat, a gofynnodd,

'Ddim yn molchi mae o?'

'Na, ddim yn dŵad adra mae o – am fisoedd weithia, a deud wrthon ni'i fod o'n gweithio i ffwrdd. Dyna pryd mae Elin yn ei alw fo'n bob enw. Mae hi a fy chwaer fawr wedi 'laru ar fod yn dlawd. Ac maen nhw wedi cael llond bol ohono fo.'

'A chditha hefyd, Now?'

'Wn i 'm . . . fel hyn dw i'n cofio petha 'rioed.' Cododd ei ysgwyddau. 'A fydda i ddim yn meddwl amdano fel 'nhad.' Heb rybudd neidiodd i ben y sachau tatws. Safodd yno yn dal ei freichiau o'i flaen a'i ben wedi ei blygu ychydig.

'Sbia – Lloyd George ar y maes yng Nghaernarfon!'

'Pwy?' gofynnodd Robat.

'Dim ots. Gwranda, *secret* arall. Wnei di ddim deud wrth neb, na wnei?'

'Wna i ddim byth, Now.'

'Mae gyn i gariad – lefran fach handi hefyd.'

'Pwy?'

'Gresi, hogan Gweunydd Ucha – ddoe siaradis i'n iawn efo hi. Oes gyn ti un?'

'Be?'

'Cariad, siŵr.'

'Dw i'n mynd i briodi Mami.'

'Wnes inna feddwl am briodi Elin. Ond . . . O wn i 'm faswn i isio gwraig fydda'n rhoi stîd i mi efo wialen fedw bob hyn a hyn.'

'Be ti'n feddwl, "stîd"?'

'Cweir, cwrbaits!'

Fedrai Robat ddim dychmygu ei fam yn rhoi'r slap leiaf iddo. Na Nana chwaith . . . Ond fedrai o ddim bod yn rhy siŵr pa mor bell y byddai Nain yn mynd.

Neidiodd Now i lawr oddi ar y sachau.

'A pheth arall, dydw i ddim mor siŵr y cei di briodi dy fam.'

Pennod 21

Yn ystod y bore fe aeth Wncl Huw â'r ddau o gwmpas gwrychoedd y cae ucha. Fe ddangosodd bedwar nyth iddyn nhw: un bronfraith, un deryn du, un dryw bach ac un pioden. Roedd yr olaf yn rhy uchel iddyn nhw fynd ato, ond fe gymrodd Wncl Huw wyau allan o'r lleill a'u dangos iddyn nhw, cyn eu rhoi yn eu holau yn y nythod.

Mi welodd Now gannoedd o nythod, meddai o. Ond doedd Robat erioed wedi gweld un gwir. Ei ffefryn oedd un y dryw, ac roedd wedi dotio efo'r wyau bach gwyn a'r smotiau brown arnyn nhw. Ond doedd ffefrynnau Now ddim yn eu plith nhw – wyau iâr ddŵr. Dywedodd fel roedd o a'i chwaer wedi ffendio nyth iâr ddŵr ar Gors Fawr efo deg o wyau ynddo.

'A be wnest ti wedyn, Now?' gofynnodd Wncl Huw.

'Mi gariais i rai adra ym mhocedi 'nhrowsus a 'nghrys, ac mi gariodd Nansi'r lleill yn ei brat.'

'Ond pam roedd eisiau cymryd y deg, hogyn? Fasa un ddim 'di bod yn ddigon?'

'Ddim i swpar i dri ohonon ni, Huw Lewis!'

Roedd Wncl Huw wedi chwerthin yn uchel, dechreuodd Robat wneud hefyd, wedyn roedd Now wrthi gymaint â neb. Rhwng pwffian chwerthin gofynnodd Wncl Huw,

'Gawsoch chi drafferth yn torri penna wya mor fach?'

'Eu ffrio'n rhacs gawson nhw i gyd efo'i gilydd nes bod sbrencs yn neidio o'r badell i bob man!'

Gwnaeth hyn i'r tri ailddechrau chwerthin, er na wyddai Robat pam roedd o wrthi gymaint, heblaw ei fod o'n teimlo mor braf yng nghwmni dau mor bwysig iddo bellach, ei ewyrth a'i ffrind.

Wedi i Wncl Huw fynd i helpu Taid yn y beudy, fe gynigiodd Now eu bod nhw'n chwarae gêm roedd o'n siŵr doedd plant y dre erioed wedi clywed amdani.

'Be 'di enw'r gêm?' gofynnodd Robat.

'Chwara eista.'

Fedrai Robat ddim credu beth roedd o wedi'i glywed a syllodd ar wyneb ei ffrind i weld a oedd yn cael hwyl am ei ben. Ond doedd dim gwên ar wyneb Now.

'Chwara eista? Wyt ti'n deud y gwir, Now?'

'Ydw, siŵr, pam?'

'Chlywis i 'rioed am y gêm!'

'Dyna be ddeudis i,' meddai Now. 'Ty'd, awn ni i'r lôn bost i' chwara hi.'

Wedi cyrraedd yno arhosodd Now ar ganol y ffordd i astudio'r cloddiau ar y ddwy ochr. Gwyliai Robat ei ffrind gan ddisgwyl yn awyddus i weld sut gêm fyddai hi efo'r fath enw.

'Wnaiff fan'ma'n iawn . . . dw i'n meddwl,' meddai Now ar ôl tipyn o betruso.

'Fydd isio ffon neu rywbeth i' daflu?'

'Dim byd ond dy din.' Roedd gwên fawr ar ei wyneb.

Chwerthin wnaeth Robat. 'Ond ydi hi'n gêm anodd, Now?'

'Mynd yn fwy anodd wrth i chdi'i chwara hi.'

'Pwy ddysgodd hi i chdi?'

'Neb. Fy gêm i ydi hi.' Daeth i benderfyniad sydyn. 'Mi 'stedda i'n erbyn clawdd 'rochor yma.'

'A be dw i'n neud, Now?'

''Stedda ditha'n erbyn clawdd 'rochor acw. Iawn?'

'Reit.' Dewisodd Robat fan oedd gyferbyn â Now ac eistedd â'i gefn yn erbyn y clawdd i ddisgwyl be fyddai'n digwydd nesa.

Bu'r ddau wrthi'n sbio ar ei gilydd am dipyn yn dweud dim nes i Robat ofyn, 'Be dw i'n neud nesa?'

'Jyst eista yn lle rwyt ti, a'r cynta sy'n codi sy'n colli.'

'A dyna'r cwbwl ydi'r gêm?' gofynnodd Robat a'i syndod yn dangos yn ei lais.

'Ia, ond dydi o ddim mor hawdd ag rwyt ti'n feddwl, boi.'

Ac mi ffendiodd Robat yn fuan wedyn nad oedd o ddim yn hawdd o gwbl ar ôl y pum munud cynta. Oherwydd bod ymyl rhyw garreg yn y clawdd neu flaen brigyn rhywbeth a dyfai yno'n mynnu gwthio i'w gnawd, dechreuodd drio symud ei ben ôl fel ei fod yn gorffwys yn fwy cyffyrddus. Ond yn fuan cafodd ei orfodi i symud eto, ac eto wedyn. A thrwy holl symud aflonydd Robat, daliai Now i fod yn yr un fan heb symud bys hyd yn oed. Eisteddai'n syllu o'i flaen heb wên ar ei wyneb fel petai ennill y gêm honno'n bwysicach iddo na dim byd arall mewn bod.

Ond doedd dim angen iddo boeni. Wedi hanner munud annifyr arall yn diodde poenau yn ei gluniau, ei ben ôl a'i gefn, cododd Robat ar ei draed gan rwbio'i gluniau.

'Chdi sy wedi ennill, Now.'

Arhosodd Now lle roedd fel 'tase fo isio dangos mor hawdd oedd y gamp iddo.'

'Ia, wel, doedd gen ti ddim gobaith, nac oedd, efo'r trowsus 'na.'

Edrychodd Robat ar ei drowsus. 'Be sy'n mater efo fo?'

'Tena ydi o, 'te? Trowsus hogia dre ydi o. Mae 'na well brethyn ar flwmar Nansi, fy chwaer.'

Teimlai Robat fod Now wedi bod braidd yn bowld, ond fedrai o ddim peidio dechrau chwerthin chwaith. 'Doedd o'n rhyfedd, meddyliodd, gymaint mwy roedd o'n chwerthin efo Now nag efo Idris?

'Wnest ti chwara eista efo dy chwaer?'

'Do, a'i churo hi. Dw i 'di rhoi cweir i bawb.'

'Pwy oeddan nhw i gyd?'

'Rhyw hogyn sy'n cerdded heibio yma weithia o Rosceinwen i weld ei nain yn y pentra.'

'Pwy arall?'

'Chdi a Nansi.'

'Chdi ydi'r *champion* 'ta felly?'

'Ia, debyg,' meddai Now, 'ond 'mod i heb chwara neb o wlad arall eto.'

Am ryw reswm roedd yn rhaid i Robat bwffian chwerthin. Trodd hynny i'r ddau fynd ati i wthio'i gilydd yn igam-ogam ar draws y lôn o glawdd i glawdd. Erbyn cyrraedd Bryndu roedd y ddau wedi hario cymaint nes baglu ar draws ei gilydd i ddisgyn ar ganol y lôn gan chwerthin yn wirion.

Ddaeth Anti Mair ddim yn ei hôl ar y bws efo Nain. Bu hynny'n dipyn o siom i Robat. Ond cyn belled ag y gallai o ddweud roedd hwyl go lew ar Nain. Ddywedodd hi ddim wrtho am hanes y farchnad, ond fe sylwodd fod y fasged fawr wedi dod yn ei hôl yn wag. Yn ystod y prynhawn gwelodd hi'n siarad efo Taid ac Wncl Huw, felly gan nad oedd hi wedi'i ddwrdio am ddim, dychmygodd nad oedd yr un o'r ddau wedi dweud dim byd drwg amdano.

Cafodd helpu Wncl Huw efo'r corddi. Robat yn troi handlan y corddwr tra oedd Wncl Huw allan yn cael smôc, ac yn gweiddi arno trwy'r ffenest hanner agored. Roedd Robat i ddychmygu'u bod nhw ar long yn mynd i fyny'r Afon Congo i ddal gorilas, ac mai Robat, wrth droi'r handlan, oedd yn gyrru'r llong.

'*More speed, Captain Robat, syr – we've got fifty crocodiles chasing us!*'

Yn syth fe aeth Robat ati i droi'r handlan efo cymaint o egni nes bod twb y corddwr yn chwyrlïo fel rhyw greadur gwallgo'n methu peidio â bwrw'i din dros ei ben. Wedi gweld bod Robat yn blino taflodd Wncl Huw stwmp ei sigarét.

'*Good show, Captain Robat, we're safe again. And you broke the Congo Paddle Steamer Speed Record!*'

Brysiodd i mewn i'r tŷ llaeth.

'*Congratulations, Captain, here's another medal for you.*'

A rhoddodd geiniog yn llaw Robat. '*Shall I take over the*

wheel now, Captain, so you can see to the gorillas. They've been asking where you were!'

Roedd Robat wrth ei fodd yn cael hwyl fel hyn efo'i ewyrth. Po fwyaf yr hoffai Wncl Huw, mwya'n y byd oedd ei anhapusrwydd wrth feddwl am Fryndu hebddo. Ond rhwng amser te a swper y noson honno daeth yn bryd i ffarwelio â'i ewyrth. Cafodd eistedd ar sêt yrru'r moto beic a gafael yn y llyw wrth i Wncl Huw wthio'r beic i ben y lôn.

'Fyddi di ddim yma'r wythnos nesa pan ddo i?'

'Na fydda.' Cymysgedd braidd oedd ei deimladau wrth ateb.

'O, wel . . . ella y cei di ddechra dŵad i Fryndu rŵan i weld Taid a Nain weithia?'

'Faswn i'n lecio hynny.'

'Dyna ni 'ta.' Edrychodd Wncl Huw arno cyn dweud mwy. 'Dw i jyst isio i ti gofio . . . Mae gyn dy Wncl Huw dipyn o feddwl ohonot ti. Cofia di hynny rŵan.'

Dim ond nodio wnaeth Robat, er bod ei galon a'i feddwl yn ysu i gael dweud llawer mwy. Yn y diwedd medrodd ddeud, 'Diolch i chi, Wncl Huw, am lot o betha.'

Gwenodd ei ewyrth a rhedeg ei law drwy wallt Robat. 'O, ia un peth arall – mae dy nain yn fwy ffeind nag rwyt ti'n feddwl. Cofia hynny hefyd. Wel . . .' Taflodd ei goes dros y beic. 'Hei, llanc,' taniodd injan y moto beic, 'mae'n hen bryd i ti fynd i fwydo'r gorilas 'na!'

Yna roedd y beic yn neidio yn ei flaen, ac Wncl Huw yn ei gap lledr a'i gogls yn codi'i law arno, ac ar Taid a Nain wrth i'r moto beic coch wibio i ffwrdd ar hyd y lôn bost am y pentre.

Pennod 22

Gorweddai yn ei wely y noson honno yn meddwl na chafodd unrhyw arwydd wedyn o ba mor ffeind oedd ei nain. Fel arfer, ychydig wedi iddo fynd i'w wely, daeth hi i'w weld. Cariai'r gannwyll arferol, a chwpan yn y llaw arall.

'Diod o sgotyn i ti – helpith di i gysgu. Ti'n mynd i golli d'ewyrth Huw, 'dwyt?'

'Ydw.' Cymrodd y gwpan gan wybod yn syth oddi wrth yr ogla a gododd gyda'r stêm ohoni na fyddai'n lecio'r ddiod. Roedd o'n falch o weld mai cwpan hanner llawn gafodd o.

'Ty'd, yfa fo'n boeth.'

Sipiodd ychydig a gwnaeth ei orau i beidio â thynnu wyneb sur pan lithrodd ddarn o fara gwlyb poeth i'w geg.

'Maen nhw'n deud dy fod ti wedi byhafio dy hun heddiw, ac y dylwn i dy ganmol di . . . Yfa hwnna . . . Wel, dyma fi'n gwneud . . . Falch o dy weld ti'n dechra callio 'chydig.'

Sipiodd Robat fwy o'r ddiod ryfedd efo'r blas poeth iawn. Yr un pryd roedd ei olwg ar geg Nain a edrychai yng ngolau'r gannwyll heb wefusau o gwbl. Fase lipstic ei fam yn dda i ddim iddi. Lein syth fain ddu oedd y geg. Sut roedd posib i'r fath geg roi swsys i daid Now – neu i neb arall? A bellach, debyg, roedd hi wedi anghofio sut i wneud, beth bynnag . . . Symudodd yr wyneb a golau'r gannwyll tuag at y drws. Ysgydwodd lein ei cheg. 'Mi ddo i ymhen 'chydig i weld os wnest di yfed y sgotyn 'na i gyd.'

Rhyw gymysgedd o'r braf iawn a'r annifyr, o brofiadau hollol newydd ac yna o siom eithafol a fu hefyd yn fymryn o ryddhad, oedd y tridiau nesaf ym mywyd Robat Wyn. Nes erbyn y nos Sul roedd yr ofnau yn gryfach ar ei feddwl nag unrhyw deimladau eraill.

Dechreuodd deimlo'r cymysgedd o emosiynau cryfion tua chanol fore Gwener. Roedd o'n mynd i fwydo'r ieir, pan ddaeth fan ei Wncl Wil i stopio wrth giât y cowt. Cododd calon Robat yn syth pan ddaeth Anti Mair allan gan agor ei breichiau. Rhedodd yntau ati i gael ei wasgu'n dynn a chael swsys ar ei foch a'i dalcen. Ond pan ddaeth Lisabeth allan o gefn y fan aeth o i deimlo'n annifyr yn syth. Felly penderfynodd gadw allan o ffordd Lisabeth gymaint ag y medrai.

Wedi i Lisabeth fynd efo'i mam i'r tŷ aeth Robat i fwydo'r ieir. Yna pan ddaeth hi ar y cowt aeth yntau i stelcian yn y 'rardd ŷd tu ôl i'r das wellt. Wedyn, pan gerddodd Lisabeth ar flaenau'i thraed at y 'rardd ŷd, fe ruthrodd o am y tŷ bach. Doedd o ddim wedi cael ei wynt ato pan ddaeth hithau yno hefyd. Chwiliodd am follt ar y drws ond roedd hi'n gwthio arno i ddod i mewn. Gan na fedrai o feddwl am ddim arall ond dianc, tynnodd y drws yn wyllt ato a heb ddweud gair rhedodd allan heibio iddi. Clywodd hi'n dweud, 'O sori, wir . . .'

Ond rhedodd yn ei flaen am y beudy, wedyn trwy ddrws cefn hwnnw ac allan i'r cae ucha. Yno y buodd o'n rhyw hanner chwilio am nythod adar tan y clywodd Anti Mair yn ei alw i gael cinio. Bu'n rhaid iddi hi hyd yn oed weiddi arno ddwywaith.

Gan fod Wncl Wil wedi mynd yn ei flaen yn y fan, roeddan nhw'n bump wrth y bwrdd bwyd. Lobsgóws oedd y pryd gydag ogla da iawn arno. Eisteddai Robat rhwng Taid a Nain, a phan ddaeth y llond dysglaid o'i flaen cododd ei lwy yn awyddus i ddechrau ar y bwyd.

Yna clywodd Taid yn dweud wrthyn nhw i gyd fod arnyn nhw ddiolch mawr i Robat am y cig blasus oedd yn y lobsgóws. Prin y clywodd o Anti Mair yn chwerthin ac yn ei ganmol wrth iddo sylweddoli mai olion y sgyfarnog druan oedd y darnau o gig pinc yn y ddysgl o'i flaen. Teimlai ormod o euogrwydd dros ladd anifail diniwed iddo fedru diodde'i fwyta wedyn. Ond wyddai o ddim sut i ddweud wrthyn nhw. A 'tase fo'n medru dweud fyddan nhw ddim yn deall – ddim hyd yn oed Anti Mair. Ac mi fyddai'r hen hogan Lisabeth yna'n siŵr o chwerthin am ei ben . . . Daeth llais Nain yn dweud wrtho am fynd i'r afael â'i fwyd cyn iddo oeri. Dechreuodd yntau lwytho'i lwy efo'r lobsgóws ond gan osgoi'r darnau cig fel 'tase llond pob un o wenwyn pur. Ymhen ychydig doedd dim ar ôl ar ei blat ond y darnau cig, a daeth yn ymwybodol fod y lleill yn edrych ar ei blât o.

'Ty'd, Robat, byta'r cig – mae o'n llawn maeth, meddan nhw,' meddai Nain.

Symudodd ei lwy ond chymrodd o ddim darn o gig y sgyfarnog arni.

'Be sy?' gofynnodd Nain, 'ddim yn lecio'i flas o wyt ti? Ond mae o fel cyw iâr – ac yn frau neis. Ty'd, treia fo heb fwy o dy lol di rŵan, Robat.' Roedd llygaid brown Nain yn syllu'n galed arno heb unrhyw fath o biti i'w weld ynddyn nhw. A fuodd o erioed yn anufudd iddi o'r blaen – wnaeth o erioed feiddio gwneud. Ond allai o yn ei fyw roi darnau o'r sgyfarnog yn ei geg. Edrychodd yn ddigalon o gwmpas y bwrdd am unrhyw help, ond cadwai'r pedwar arall eu pennau dros eu platiau. Yna heb unrhyw rybudd iddo daeth yr help o'r lle mwyaf annisgwyl. Gwthiodd Lisabeth ei phlât oddi wrthi.

'Fedra inna mo'i fyta fo chwaith.'

Trodd Anti Mair ati'n syth. 'Ond ti 'di fyta fo'n iawn o'r blaen, siŵr.'

'Ond dydw i ddim isio fo rŵan, Mam – neu wna i chwydu!'

Swniai Lisabeth yn fwy pendant byth.

Edrychodd Nain yn flin ar Robat. 'Yli be ti 'di'i ddechra rŵan efo dy giamocs, llanc!'

'Wn i be wnawn ni,' meddai Anti Mair mewn llais tawel, gan godi ar ei thraed. 'Mi ro i gig y ddau ar soser yn y tŷ llaeth. Ac mi gân nhw fo ar fechdan amser te.'

'Ia, piti fasa'i wastio fo, hogia,' meddai Taid wrth sychu'i fwstásh.

Wedi i Anti Mair godi'r darnau cig sgyfarnog oddi ar blatiau Robat a Lisabeth, aeth â nhw i'r tŷ llaeth. Gwyliodd Nain hi'n gwneud heb ddweud gair a lein ei cheg bellach yn edrych fel crac syth iawn o dan big ei thrwyn.

Pennod 23

Dihangodd Robat allan i'r cowt cyn gynted ag y medrai allan o olwg Nain a'r lleill. Ond ymhen dim cafodd ei ddilyn gan Lisabeth. Ar y pryd roedd o hanner ffordd rhwng y portico a 'rardd ŷd, ac wedi aros i drio penderfynu a fyddai mynd i guddio ar ben y das wellt yn syniad da i osgoi mwy o drafferth.

'Robat Wyn,' meddai hi.

'Be?' meddai o gan ddal i gerdded yn ei flaen.

'Aros funud.'

Daliodd o i gerdded. Daeth hithau ar ei ôl. 'Dw i jyst isio deud un peth wrthat ti.'

'Wel dydw i ddim isio clywad dim byd byth eto gyn ti.' Cerddodd i ffwrdd yn gyflymach.

Gwaeddodd hithau. 'Dw isio deud sori. Dw i yn sori, wir, Robat Wyn. Wir rŵan.' Wyddai o ddim beth i'w ddweud na'i wneud heblaw arafu'i gam.

'A pheth arall dw isio'i ddeud . . .' Dechreuodd o ofni be fyddai'n dod nesa.

'Rôn i'n meddwl dy fod ti'n ddewr iawn yn peidio byta'r cig.'

Trodd i edrych arni. 'Ti'n deud y gwir?'

Nodiodd hi. 'Faswn i byth wedi gwrthod ond dy fod ti wedi gneud gynta.' Aeth hi i boced ei ffrog, a thynnu allan fag papur bach gwyn.

'Hwda, cymra hwn – *mint imperials* o Langefni – i chdi maen nhw i gyd. Glywis i dy fod ti'n sgut amdanyn nhw, weldi.'

Roedd Robat yn mynd yn fwy ansicr o'i deimladau

bob eiliad. Ond medrodd ddiolch am y bag da-da cyn ei roi ym mhoced ei drowsus. Yn yr eiliadau wrth wneud cafodd ddigon o amser i sylweddoli mor smart roedd hi'n edrych yn ei ffrog o sgwariau bach pinc a gwyn; a bod ei gwallt syth a ddeuai at waelod ei chlustiau fel aur. Ac roedd y llygaid brown yn fwy ffeind nag roeddan nhw'r tro dwytha – yn debycach i rai Anti Mair nag i rai ei nain. Rhai codi ofn oedd y rheini. Fe fu arno ofn Lisabeth hefyd ond nid y munud hwnnw, ac roedd sŵn isio bod yn ffrindia yn ei llais pan siaradodd hi nesaf.

'Lle roeddat ti'n mynd ar gymaint o frys, Robat?'

Fedrai o fentro dweud y gwir wrthi? Pam lai? 'I ben y das wellt.'

'Pam, be sy 'no?'

Roedd ei deimladau tuag ati'n meddalu'n gyflym, a synnodd mor barod roedd o i'w thrystio.

'Mynd yno i guddio rôn i. Ond . . .' Doedd dim dal yn ôl arno bellach. 'Ond dw i 'di colli pisyn chwech ar ben y das hefyd.'

'Ar ben y das?' meddai hi braidd yn syn. 'Ga i ddŵad i chwilio amdano efo chdi, Robat?'

Doedd o ddim wedi disgwyl hyn. 'Wel . . . cei, os leci di.'

Rhoddodd hi wên fach iddo – jyst digon i ddangos fod ganddi'r dannedd dela welodd o erioed. 'Ond mi fydd raid i ti ddal gwaelod yr ystol i mi, gwael.' Y wên fach eto. 'Dw i ofn syrthio, weldi.'

Wedi i'r ddau gyrraedd y 'rardd ŷd, symudwyd yr ysgol fel ei bod yn arwain at y lle gwastad ar ben y das.

'Wnei di mo'i hysgwyd hi i 'nychryn i, na wnei?' meddai Lisabeth wrth gychwyn dringo'r ysgol.

'Na wna, siŵr. A dw i'n gafael yn dynn iawn.'

'Dalia i neud.'

Roedd hi hanner ffordd i fyny'r ysgol pan stopiodd hi ac edrych i lawr arno dan wenu.

'Wyt ti'n medru gweld fy mlwmar i rŵan, on'd wyt, Robat?'

Heb feddwl be roedd o'n ei wneud, yn syth – yn reddfol felly – fe edrychodd i fyny a chafodd gip ar y blwmar pinc o dan ymbarél ei ffrog.

'O!' meddai hi'n cogio'i bod hi wedi'i synnu'n arw, 'pwy welis i'n cael sbec iawn arno fo rŵan!'

Gwyddai Robat fod ei wyneb yn cochi ac edrychodd i lawr ar ei draed.

'Pa liw ydyn nhw, Robat?'

'Wn i'm.'

'O, Robat, ti'n ofnadwy o swil, 'dwyt. Ty'd i fyny, wir, i ni gael hyd i dy chwecheiniog di.'

Bu'r ddau'n chwilio'r gwellt yn y darn gwastad ar ben y das, ond heb unrhyw lwyddiant. Blinodd Lisabeth ar hyn a chynnig eu bod yn chwarae gêm. Cytuno wnaeth Robat yn syth a disgwyl iddi egluro ymhellach.

'I ddechra,' meddai Lisabeth gan bwyso'i hysgwyddau'n ôl, 'rwyt ti'n gorwedd i lawr.'

Fe wnaeth Robat hynny ond gan ddechrau teimlo'n anghyffyrddus. Cynyddodd y teimlad yn frawychus o gyflym pan gydiodd hi yn y band ar dop ei drowsus a dechrau'i dynnu i lawr.

'Be ti'n neud, Lisabeth?' meddai gan afael yn ei dwylo i'w rhwystro.

Gwenodd hi arno. 'Jyst chwara'r gêm. Dw i'n inspectio chdi rŵan. Wedyn gei di inspectio fi.'

'Ond dydw i ddim isio i ti neud.' Roedd o'n codi'i lais.

'Cogio ydi o i gyd, siŵr. Jyst gêm ydi hi.'

Daliai i afael yn dynn yn ei dwylo. 'Pa gêm? Be 'di henw hi?'

'*Doctors and Nurses*, wnei di lecio hi, 'sti. Dw i'n cogio bod yn nyrs rŵan yn . . .'

Torrodd ar ei thraws gan eistedd i fyny'n syth. 'Gas gen i nyrsys!'

'Ond pam, Robat?'

'Mae 'na hen ogla ofnadwy arnyn nhw. Dydw i ddim isio gwneud dim byd efo nyrsys byth!'

Ochneidiodd hi, yn amlwg wedi'i siomi, ond yn gweld yr un pryd ei fod o wedi ei gynhyrfu'n arw.

'Sori, Robat, fy mod i wedi dy ypsetio di.' Ddywedodd o ddim a daeth hi i eistedd wrth ei ymyl – y ddau a'u cefnau yn erbyn rhan o'r das oedd heb ei thorri.

'Dw i wedi deud "sori" lot o weithia wrthat ti heddiw, do?'

'Do.'

'Dw i'n falch iawn 'mod i wedi dŵad efo Mam – wyt ti?'

Petrusodd o. 'Ydw.'

Gafaelodd hi yn ei ysgwydd. 'Sbia arna i, Robat.' Wedi iddo droi'i ben i edrych arni, aeth hi ymlaen gan wenu arno iddo gael gweld y rhes dannedd bach tlws eto. 'Wyt ti'n lecio fi, Robat?'

Dim ond am y mymryn lleiaf y petrusodd o. 'Heddiw, ydw . . .' Nodiodd, 'Ydw.'

'Wel, felly dw i isio deud *secret* mawr iawn wrthat ti – ond rhaid i ti addo peidio deud wrth neb arall o gwbwl. Ti'n addo?'

'Dydw i ddim isio clywed os ydi o'n rhywbeth trist.'

Ysgydwodd ei phen gan wneud i'r gwallt aur gael ei siglo gymaint nes ei fod yn 'sgubo ar draws ei bochau. 'Wyt ti'n addo, 'ta?'

'Ydw.'

Daeth â'i hwyneb yn nes ato fel nad oedd mwy na hyd llaw rhwng y ddau drwyn. 'Wel . . . i ti gal gwbod 'te . . .' Roedd y llygaid brown yn sbio reit i mewn i'w lygaid o; roeddan nhw'n edrych yn fawr ac yn sgleinio yn yr haul. '. . . Wel . . . dw i *in love* efo chdi.' Cyn iddo fedru dweud mai ei fam oedd ei gariad a'i fod am ei phriodi ryw ddiwrnod, gwyrodd Lisabeth ei phen yn nes ato'n sydyn a'i gusanu ar ganol ei geg.

'A be ti'n feddwl o honna 'ta, Robat Wyn!'

Edrychodd yn syn arni, yn ei gweld yn un rhy bowld

iddo, ac eto'n falch rywsut iddi wneud be wnaeth hi. Cyn iddo fedru cael un gair allan, gwyrodd hi eto i'w gusanu – yn arafach a chyda mwy o ofal yr ail dro. Fe fyddai – petai o wedi dewis – wedi medru symud ei ben fymryn i osgoi cael y gusan ar ei geg. Ond nid dyna oedd ei ddewis, a'r rheswm syml oedd fod cusan gyntaf Lisabeth – er mor annisgwyl oedd hi – wedi rhoi teimlad braf ac anghyffredin iawn iddo. Doedd yr ail ddim mor syfrdanol ond roedd o wedi'i mwynhau hithau hefyd.

'Un arall eto,' meddai Lisabeth a golwg wrth ei bodd arni, 'ac mi fyddwn ni'n ddau gariad am byth!'

Chafodd o mo'r cyfle i anghytuno â'r syniad gan fod wyneb Lisabeth wrthi eto'n dod am ei wyneb o. Yna roedd yntau hefyd yn dechrau gwthio'i geg ymlaen i gyfarfod ei cheg hi. Pan wnaeth y ddau bâr o wefusau gyfarfod, cafwyd cusan wlypach na'r ddwy gyntaf ac un gyda chlec fach iddi. Teimlai Robat gynhesrwydd sydyn yn codi y tu mewn iddo tuag at Lisabeth, a hynny i gyd yn cynyddu'i euogrwydd ynglŷn â'i gariad iawn, ei fam.

'Rŵan gei di ddeud wrth bawb, Robat, fod gyn ti gariad – ond paid â deud f'enw i, na wnei?'

'Na wna, siŵr.'

Symudodd hi dipyn ar ei gwallt nes ei fod o'n edrych yn union yr un fath ag yr edrychai cyn iddi ei symud o. Daeth y dannedd bach del i'r golwg, daliodd ei phen braidd yn gam ac edrych arno trwy ochr ei llygaid. Gofynnodd mewn llais tyner,

'Wyt ti'n meddwl 'mod i'n hogan ddel?'

'Ydw,' meddai o fel petai'n bleser ganddo gael dweud.

'Y ddela yn Sir Fôn?'

'Dw i'n siŵr dy fod ti.'

'A ti isio bod yn gariad i mi am byth, 'dwyt?'

'Ydw, Lisabeth . . . ond dw i wedi addo priodi Mami.'

Byrstiodd Lisabeth allan i chwerthin gymaint nes iddi ddisgyn yn ôl yn wirion ar y gwellt. Syllodd o arni'n ddifrifol yn methu â gweld pam roedd yr hyn ddywedodd o mor ddigri. Yna cododd hi ar ei heistedd.

'Ac os wnei di hynny, ti'n gwbod be ddeudith pawb?'

'Wn i ddim, Lisabeth.'

Dechreuodd hi ailbwffian chwerthin.

'Wel deud bod dy wraig yn ddigon hen i fod yn fam i ti siŵr!'

Pennod 24

Cofiodd fel roedd hi wedi chwerthin oriau yn ddiweddarach pan orweddai yn ei wely efo'r eliffant bach piws yn ei gesail. Yna daeth Nain â'r hanner llond cwpaned o sgotyn iddo, a disgwyliodd iddi gymryd y cyfle i'w ddwrdio am beidio â bwyta cig y sgyfarnog. Mi ddechreuodd wneud ond nid mewn llais mor flin ag arfer.

'Mi wn i dy fod ti yno pan laddwyd yr anifail . . . Ond mae lladd creaduriaid a'u byta nhw wedyn yn ffordd rydan ni'n arfer byw yn y wlad. Rhaid i ti ddysgu hynny a'i gofio. Ond wedyn rhaid i mi dy ganmol di a Lisabeth am aros ar y cowt yn blant da a chwara heb godi sŵn na stŵr.'

Teimlai ei wyneb yn poethi wrth iddi ddweud hyn. Ac wedi iddi ei adael, fedrai o ddim peidio gwenu wrth feddwl be fyddai hi wedi'i ddweud 'tase hi wedi'u gweld a'u clywed nhw ar y das wellt!

Wrth feddwl felly trodd y gwenu yn bwffian chwerthin tawel. Ond nid Nain oedd ar ei feddwl y munudau braf hynny cyn iddo lithro i gysgu, ond Lisabeth. Lisabeth ddel ac annwyl. Treiodd weld yn ei feddwl bictiwr o'i hwyneb ac ohoni yn y ffrog binc a gwyn. Ac ar ysfa ddireidus gwelodd fel y cusanodd hi o, a chafodd gip cyflym ohoni yn y blwmar pinc. Roedd un peth yn sicr, byddai'n rhaid iddo gael dweud wrth Now amdani cyn gynted ag y gwelai o fory – ond nid dweud y cwbl hyd yn oed wrth ei ffrind gorau un.

Pan ddaeth y bore Sadwrn hwnnw doedd dim golwg

o Now. Trwy'r amser y bu Robat yn yr ardd efo Taid trodd ei ben o hyd i weld a oedd y bachgen pengoch yn stelcian yn y lôn bost wrth glawdd yr ardd. Mân iawn oedd y tatws cynnar, ond mi gododd Taid y rhai mwyaf a'u rhoi yn y bwced i fynd i Nain. Roedd yr ychydig waith wnaeth o yn yr ardd wedi achosi iddo golli'i wynt yn lân, a gallai Robat glywed ei frest yn gwichian. Mentrodd ofyn, 'Sâl 'dach chi, Taid?'

Wnaeth Taid ddim ateb yn syth. ''Mrest i sy'n gaeth, weldi.' Aeth ymlaen bron fel 'tase fo'n siarad efo fo'i hun. 'Peth ofnadwy ydi o am dy adael di'n wan fel cath – yn dda i ddim i neb nac i –' Daeth geiriau Taid i ben mewn pwl o beswch mor drwm nes bu'n rhaid iddo afael yn dynn ym mhen y fforc i'w gadw – tybiodd Robat – rhag disgyn ar y rhesi tatws.

Fflachiodd darlun o'i dad ar feddwl Robat ac aeth yn syth i afael ym mraich Taid. Sylwodd fod chwys ar dalcen yr hen ŵr. Fel hyn y gwelodd o'i dad yn pesychu a chwysu, wedyn yn syrthio o'r gwely cyn mynd at Iesu Grist yn y bocs a'r blodau arno . . . Ai fel hyn y byddai yntau hefyd ar ryw yfory pell? Daeth ofn newydd drosto na fu erioed ar ei gyfyl o'r blaen – a gafael ynddo fel oerfel cas. Am ysbaid gyrrwyd pob syniad hapus o'i ben – am Mami a Nana, Now, Wncl Huw, Anti Mair a Lisabeth. Ond wrth weld Taid yn dod ato'i hun, cododd ei ysbryd eto. Wedi'r cwbl, ofn oedd hwnnw am rywbeth oedd yn rhy andros o bell i ffwrdd i'w weld yn glir. Beth bynnag, dim ond heddiw oedd yn bwysig go iawn, a chael dweud hanes Lisabeth wrth Now. Ac wrth gwrs, heddiw hefyd fe gâi edrych ymlaen at fory pan ddôi Mami i'w nôl i fynd adre efo hi i'r dre. Do, fe gollodd o Tom Mix a Tony, ac mi fyddai'n braf iawn cael mynd am yr Arcadia i'w gweld nhw eto efo Nana. Ond y gwir oedd nad oedd o wedi'u colli nhw gymaint â hynny.

Ychydig wedi amser te fe aeth i'r sgubor i wneud yn siŵr fod y swllt a'r geiniog a gafodd o gan Wncl Huw yn dal yn saff o dan y sachau tatws. Pan ddaeth allan i'r cowt gwelodd Now yn loetran yn Lôn Gweunydd yn agos i'r cwt moch – ei hoff fan i ddisgwyl am Robat gan y gwyddai na ellid gweld y rhan honno o'r lôn o ffenestri'r tŷ. Cyn iddo glywed sŵn y chwiban isel roedd Robat yn rhedeg allan i'r lôn. Ond yna daeth llais Nain yn uchel a chlir o ddrws y portico,

'Robat, dwyt ti ddim i fynd allan o'r cowt.'

'Jyst am funud, Nain, mae Now yna.'

'Aros wrth y giât i siarad efo fo. Dydw i ddim isio i ti faeddu dy hun na dy ddillad fwy na sydd raid.'

'Ond . . .'

Ei llais yn bendant iawn bellach. 'Dw isio i ti ddŵad efo fi i'r pentra rŵan. A gan fod dy fam yn dŵad i dy nôl di fory, gei di ddeud dy ffarwél wrth yr hogyn Now 'na y munud 'ma.'

Aeth Nain yn ôl i'r tŷ a daeth Now at y giât. Cadwodd ei lais yn isel, 'Rargo! ydi hi fel 'na o hyd? Mae hi'n waeth nag Elin 'cw ar nos Sadwrn!'

Wyddai o ddim pam ond teimlai Robat fod rhaid iddo amddiffyn ei nain. 'Ond wnaeth hi 'rioed roi stîd i mi.'

'Ia, wel, chdi sy'n hogyn da, 'te.' Newidiodd llais Now.

'Rŵan, pryd yn union ti i fod i fynd nôl i'r dre?' Dangosodd gymaint o ddiddordeb fel 'tase fo'n gyfrifol am y trefniadau i gyd.

'Wn i ddim faint o'r gloch. Tua amser te, faswn i'n meddwl. Pam?'

'Pam?' meddai Now, fel petai angen amser arno i feddwl cyn rhoi ei ateb. 'Ddeuda i wrthat ti pam – rhag ofn bydd 'na gyfla i mi ddeud ta-ta wrthat ti eto.' Ysgydwodd ei ben dan wenu. 'Ond dydw i ddim yn meddwl yr ei di fory.'

'Ti'n rong, Now. Rhaid i mi fynd – mae'r ysgol yn dechra ddydd Llun.'

'Hmm,' meddai Now, ''rôn i wedi anghofio hynny. Ond dw i'n dal i ddeud "ella".'

'Robat! Ty'd rŵan, ar unwaith,' meddai llais Nain.

Gwaeddodd Robat, 'Dw i'n dŵad, Nain.' Yna mewn llais llawer is, 'Now – mae gyn i gariad ond paid â deud wrth neb.'

Edrychai Now'n syn. 'Be ti'n feddwl – lefran s'gyn ti?'

'Ia, lefran. Ond paid â deud wrth Nain na neb.'

'Uffarn i! Ddeudwn i ddim gair wrth honna, siŵr.'

'Robat Wyn! Oes raid i mi ddŵad i dy nôl di?'

Gwaeddodd Robat yn ôl, 'Dw i *yn* dŵad, wir.' Ac mewn llais is, 'Gyn i bethau erill i ddeud wrthat ti hefyd, fel saethu gwn.'

'Nefi wen!' meddai Now.

Chlywodd Robat ddim mwy am ei fod wrthi'n rhedeg am y portico.

Gan ei bod hi'n brynhawn Sadwrn a siop y post yn llawn, cafodd Robat sefyll y tu allan i'r drws. Yn pwyso ar wal gerrig y ffordd gyferbyn â'r siop, safai dau hogyn ychydig yn hŷn – rhyw dair neu bedair blynedd falle. Fwy nag unwaith cafodd Robat yr argraff eu bod nhw'n edrych arno. Ond feddyliodd o ddim mwy amdanyn nhw.

Un peth a hoffai'n arbennig am y pentref oedd bod posib gweld rhes hir o fynyddoedd Sir Gaernarfon o'r ardal. Yn hwyr y prynhawn hwnnw roedden nhw'n edrych yn fawr ac yn glir ac wedi'u lliwio'n dlws yn yr haul. Edrychodd Robat i mewn i'r siop a gweld bod Nain yn dal i ddisgwyl ei thro, a'i bod hi wrthi'n siarad efo dwy ddynes ddigon tebyg i'r un oed â hi. Pan edrychodd o eto ar y ffordd, roedd y ddau hogyn wedi'i chroesi ac yn dod at ddrws y siop. Yn lle mynd i mewn iddi trodd y ddau i sefyll un bob ochr i Robat.

'Welis i mo dy wyneb bach del di o'r blaen,' meddai'r talaf o'r ddau. Roedd ganddo drwyn cam a llygaid cul. 'Lle ti'n byw, llanc?'

'Efo Taid a Nain.' Roedd Robat yn dechrau teimlo'n anghyffrddus.

'Taid a Nain o deulu'r chwain,' meddai'r hogyn arall

yn hanner chwerthin. Roedd hwn yn hogyn trwm gyda bochau cochion mawr.

'Dwyt ti ddim yn clywad, nac wyt?' gofynnodd yr un tal. 'Gofyn lle ti'n byw wnes i.'

'Mae o'n clywad yn iawn, Seth, dwl ydi o,' meddai'r bochau cochion.

Daeth y Seth â'i wyneb yn agos at un Robat a gofyn mewn llais annifyr, 'Wyt ti'n ddwl, cariad bach?'

Gwyddai Robat eu bod nhw'n ddau gas oedd am gael hwyl am ei ben. Dywedodd y peth cyntaf ddaeth i'w feddwl. 'Mae gyn f'Wncl Huw i wn ac mae o'n medru saethu.'

'Glywist ti hynna, Gruff?' meddai Seth. 'Mae'r cyw cwningen 'ma'n trio'n dychryn ni!'

'Ac mae gyn hwn,' roedd Gruff yn pwyntio'i fys at frest yr hogyn main, '*scout knife*. Uffar o un finiog, yn'd oes, Seth?'

'Felly, watsia di be ti'n ddeud, cyw, neu mi sleisia i di . . .'

Agorodd drws y siop a daeth pen Nain i'r golwg a'i llais yn swnio'n beryg, 'Be 'dach chi'ch dau yn neud efo'r hogyn bach 'na? Y?'

'Dim byd ond siarad, Misus,' meddai Seth.

'Dim byd arall,' meddai Gruff ar ei ôl.

'Felly wir.' Roedd Nain yn syllu'n gas iawn ar y ddau fesul un.

'Ty'd ti i mewn i'r siop, Robat, i chdi gael fy helpu i gario'r petha.'

Wrth iddo gamu at ddrws y siop lle daliai Nain i sefyll, clywodd lais Seth, 'Hwyl rŵan, Robat.' A llais y llall, 'Hen hogyn iawn!' Ac fel roedd o'n cau'r drws tybiodd iddo'u clywed yn chwerthin yn uchel ar draws ei gilydd yn wirion.

Ar y ffordd adre o'r pentre y soniodd Nain wedyn am y ddau hogyn. Gofynnodd i Robat beth roeddan nhw wedi'i ddweud wrtho. Ar y dechrau gwrandawodd hi gan gerdded yn ei blaen heb ddweud dim. Ond pan ddywedodd o eu bod nhw wedi gwneud hwyl am ei ben, ac fel roedd yntau wedi sôn am Wncl Huw a'i wn, mi ofynnodd hi'n sydyn,

'A be wnaethon nhw wedyn?'

Clywodd hi ganddo am y gyllell a'r bygythiad. Fe syllodd o'i blaen cyn siarad ac meddai â'i llais fel petai'i meddwl ar bethau trist.

'Ia, wel, fel 'na mae hi 'sti, Robat bach – pobol a phlant yn medru bod yn ddifeddwl a chreulon.' Edrychodd i'w lygaid o. 'Mewn rhyw ffordd ella'i bod hi'n llawn cystal dy fod ti'n mynd adra fory wedi'r cwbwl. Mae 'na ormod o hen dacla yn ysgol y pentra 'ma hefyd.' Ochneidiodd. 'Ond be sy i' ddisgwyl 'te o gofio pwy ydi'u teuluoedd nhw!'

Rhyw baratoi am yfory fu gweddill y noson. Robat yn hel ei bethau, yn newid rhai o'i ddillad er mwyn i Nain eu cael nhw i'w golchi, rhag i neb fedru dweud – fel yr eglurodd wrtho – ei bod hi wedi'i anfon o'n ôl at ei fam efo dillad budron.

Mynnodd Nain ei fod yn yfed ei sgotyn yn y gegin y noson honno. Sylwodd Robat fod golwg ddiarth ar ei llygaid pan ddywedodd na fyddai'n dod i'w weld yn ei wely. A phan eglurodd yn frysiog ei bod yn rhy brysur, meddyliodd Robat fod rhywbeth diarth yn ei llais hefyd.

Fe fu'n hirach nag arfer cyn syrthio i gysgu. Roedd yna ormod o bethau'n croesi'i gilydd yn ei feddwl – yn gwrthod setlo i un patrwm braf cysurus. Yn waeth na hynny, roedd ganddo gowdal o deimladau anghyfarwydd. Rhai ohonyn nhw fel 'tasen nhw'n gwrthod cydfynd â'i brif ddymuniad – cael gweld fory'n dod yn gyflym iddo gael mynd adre hefo'i fam. A thrwy'r cyfan roedd o'n ymwybodol bod gormod o brofiadau fedrai gynhyrfu'i deimladau dyfnion wedi digwydd iddo mewn amser rhy fyr o lawer. Gan ei adael ar ei noson olaf ym Mryndu mewn dryswch emosiynol.

Rywbryd yn hwyr yn y nos fe ddeffrodd. Clywodd drwy'i ddrws hanner agored Taid yn griddfan pesychu.

Yna llais Nain yn dweud wrth Taid am losgi'r powdwr. Ymhen dim daeth ogla mwg rhyfedd i'r llofft. Yn raddol wedyn daeth sŵn Taid yn clirio'i wddw eto ac eto. Yna llai o'r pesychu, nes bod dim i'w glywed ond griddfan bob tro y gollyngai Taid ei anadl. Roedd sŵn gwaeledd ei daid yn tristáu Robat, ac ysai am gael clywed ei fod yn gwella. Ymhen amser trodd y griddfan yn wichian, ac yn raddol gadawodd Robat i'r sŵn tawelach ei yrru'n ôl i gysgu. Ond cyn i hynny ddigwydd yn iawn, daeth yn ymwybodol bod Nain wedi dod efo'i channwyll heb wneud unrhyw sŵn at ei wely. Roedd o'n rhy gysglyd i agor ei lygaid. Tybiodd ei bod hi'n sefyll wrth y gwely yn syllu arno. Wedi iddi aros felly am dipyn yn berffaith dawel, teimlodd ei bysedd yn ysgafn yn mynd trwy'i wallt. Clywodd hi'n anadlu'n drwm yna symudodd y golau oddi wrtho a gwyddai'i bod wedi gadael y llofft.

Pennod 25

Rhyw fore anniddig oedd o i Robat. Aeth i nôl ei bres o dan y sachau tatws a'u trosglwyddo i boced ei drowsus. Ond gan eu bod yn gwneud gormod o sŵn pan redai neu neidiai ac y byddai hynny'n siŵr o achosi i Nain ofyn cwestiynau, symudodd y geiniog i boced arall ei drowsus.

Ar ôl cinio bu'n syllu ar allt Bryn Menai ymhell tu draw i'r caeau'n disgwyl gweld to gwyn y bws yn brysio i gyfeiriad croesffordd Tŷ Cerrig. Gwelodd un rhwng dau a thri o'r gloch, ac wedi i Nain wneud yn siŵr nad oedd o'n edrych yn flêr nac yn fudr, cafodd ei chaniatâd i fynd i gyfarfod ei fam cyn belled â Chwt Unnos. Ac yno y buodd o am hydoedd yn trio taflu cerrig bach trwy dwll yn nho'r hen gwt wrth ddisgwyl am ei fam. Roedd ei deimladau eto fel y noson cynt yn gymysglyd. Wrth gwrs roedd o isio'i gweld hi'n fwy na dim yn y byd. Ond fe gollai Lôn Gweunydd.

Welodd o mo'i fam na neb arall ar y lôn y prynhawn hwnnw – dim un creadur byw heblaw am adar prysur a swnllyd.

Wrth ddod yn ei ôl a chyrraedd lle medrai weld Bryndu eto, llamodd ei galon yn syth pan welodd fan wen wedi'i pharcio'n agos i giât y cowt. Roedd yna rywfaint o siom yn y cyffro – fe fyddai'n well o lawer ganddo weld ei fam heb neb efo hi, yn arbennig heb y Mistar Philips hwnnw. O leiaf, fe ddaeth â'i fam i'w nôl o. Rhedodd nerth ei draed am y tŷ, a rhuthro i mewn i'r gegin â'i wynt yn ei ddwrn yn syth i freichiau ei fam.

Gwasgodd hithau o i'w chesail mor hir nes i'r Mistar Philips hwnnw ddweud yn ddigon siarp,

'Fasa ddim gwell i ni fynd ymlaen i setlo petha, Sa . . . Misus Lewis.'

Roedd ei fam wedi gollwng ei gafael ynddo ar unwaith fel 'tase rhaid iddi ufuddhau'n syth i beth bynnag ddywedai'r dyn diarth. Mae'n rhaid fod Nain wedi sylwi ar hyn achos pan siaradodd hi roedd ei llais yn ddigon cas.

'Pam na alwch chi hi'n "Sali", Mistar Philips – mae'n amlwg eich bod wedi arfer gwneud.'

Edrychodd y ddau'n flin ar ei gilydd cyn i Mr Philips ei hateb.

'Bron yn iawn, Misus Lewis. "Sal" fydda i'n ei galw hi. Ond 'dach chi'n gweld, 'dan ni'n nabod ein gilydd ers sbel bellach.'

Cymrodd y dyn ei wynt, a synnodd Robat ei glywed yn siarad cymaint efo Nain. 'A fi, Misus Lewis, oedd yn 'morol fod yna rew glân ar gael iddi esmwytho 'chydig ar wddw Glyn druan.'

Ddywedodd Nain ddim ond mi wnaeth Taid. ''Dan ni i gyd yn ddiolchgar iawn i chi am hynny, Mistar Philips.'

Fedrai Robat ddim deall pam roedd isio diolch i'r dyn roddodd y rhew a wnaeth i'w dad besychu mor ddrwg. A'i daid o bawb – a wyddai'n well na neb mor ofnadwy oedd pesychu – yn diolch! Wel, doedd o byth am ddiolch iddo.

Erbyn diwedd y prynhawn teimlai'n fwy blin eto efo'r hen ddyn diarth yma oedd mor barod i ddweud wrthyn nhw i gyd sut roedd pethau i fod. A'r pwysica o'r rheini oedd fod Robat i ddal i aros efo Taid a Nain am ychydig eto! Aeth sioc dychryn annisgwyl y newydd drwyddo. Fedrai o feddwl am wneud dim ond mynd yn ôl i gysur breichiau'i fam, a chael gwybod ei bod hi'n dal i'w garu gymaint ag erioed. Roedd hi ar ganol dweud ei bod hi pan dorrodd Mistar Philips ar ei thraws,

'Fel y deudson ni, Robat Wyn, cyn i ti ddŵad – mae dy

nain wedi disgyn o ben *step ladder* wrth sbring-clinio.'

Newidiodd ei lais i fod yn fwy annifyr.

'Wrth beintio seilin dy lofft di, *by the way*. Beth bynnag, mae hi yn y *C and A Infirmary* wedi torri'i choes a'i braich a rhywbeth arall, wyddon ni ddim be eto. Felly, ti'n gweld, fedar hi ddim edrych ar dy ôl di.'

'Mae'r hogyn bach yn gweld hynny, siŵr i chi,' meddai Nain.

Ond doedd Robat ddim yn gweld fod hynny'n ddigon o reswm iddo beidio â mynd adre efo'i fam.

'Ond, Mami, wnewch chi edrach ar f'ôl i.'

'Dw i'n dechra gweithio i Mistar Philips fory, del bach.'

Un gobaith arall oedd ganddo.

'Ond rhaid i mi fynd i'r ysgol efo Idris ddydd Llun.'

Syllodd i lygaid ei fam yn apelio arni i drio deall cymaint roedd o wedi'i cholli. Ond wnaeth hi ddim ond edrych yn drist iawn arno. Yna clywodd lais Taid yn siarad yn araf a phendant a chryg.

'Oherwydd y ddamwain anffodus i dy nain arall, Robat, ac fel y mae hi ar dy fam druan, a'r cyfla ffodus mae hi wedi'i gael gan Mistar Philips, wel . . . 'dan ni wedi penderfynu dy fod ti'n dechra fory yn ysgol y pentra 'ma.'

'Ac mai dyna fydda ora i ti, Robat,' meddai Nain yn gyflym.

Wedi i'w fam a'r dyn diarth adael am y dref yn y fan wen, y cryfaf o deimladau Robat oedd ei fod wedi'i frifo, a bod y briw wedi troi'n gryndod trwy ganol ei gorff. Fel rhyw anifail wedi ei anafu roedd arno isio dianc oddi wrth bawb i fod ar ei ben ei hun. Yn gyntaf aeth i'r sgubor i eistedd ar y sachau. Cofiodd am y ddau ddarn arian yn ei bocedi a braidd yn ddifater gosododd nhw yn eu holau o dan y sachau.

Bu'n eistedd yn y tŷ bach yn cofio fel roedd Lisabeth wedi trio dod i mewn ato. Aeth o fan'no i 'rardd ŷd a mwy o gofio Lisabeth. Fedrai o ddim dianc oddi wrthi.

Symudodd i'r beudy i syllu ar y llo bychan oedd yn ei gornel fach ei hun. Roedd o'n ddu drosto heblaw am seren wen ar ei dalcen. Wrth adael i'r llo lyfu'i law a sugno'i fysedd teimlai'r briwiau yr ychydig lleiaf yn llai poenus. Beth wyddai Idris am gael llo bach del yn llyfu'i law? Neu bod y 'rardd ŷd yn lle da i gael hwyl? Glywodd o 'rioed am chwara eista? Fuodd gan Idris ffrind mor dda â Now? Yn sicr fuodd Idris ei hun ddim cystal ffrind i Robat. A welodd Idris lôn fach mor dlws â Lôn Gweunydd? A be wyddai o am fynd yn ddistaw bach efo'i Wncl Huw i saethu gwn iawn efo andros o glec . . . Stopiodd ei feddyliau cysurus yn stond. Aeth cofio am Wncl Huw a'r gwn â'i feddwl yn ôl i'r ddau hogyn y tu allan i siop y post. Fory, fe fyddai'n rhaid iddo fo'u hwynebu nhw eto yn yr ysgol. Roedd y syniad yn codi ofn mawr arno. A'r ofn hwnnw'n fwy na dim a'i gyrrodd yn ôl i'r tŷ.

'Wyt ti'n iawn, on'd wyt, Robat?' gofynnodd Nain.

'Ydw.'

'Rôn i'n meddwl rywsut y basat ti. Ti'n tyfu'n hogyn mawr rŵan.'

'Wn i'm.' Roedd o'n trio magu plwc i ddweud wrthi am ei ofn newydd.

'Wnaethon ni ddim dŵad i chwilio amdanat ti,' meddai Taid, ac er nad oedd gwên o dan y mwstásh, roedd ei lygaid yn gwenu. 'Meddwl y basat ti'n well am dipyn ar dy ben dy hun.' Rŵan roedd yn rhaid iddo gael dweud.

'Dw i ofn mynd i'r ysgol fory.'

Edrychodd Taid a Nain ar ei gilydd cyn i Taid siarad.

'Mi fasa'n beth da i ti gerdded i'r ysgol ac yn ôl efo Now.'

'O, dydw i ddim mor siŵr o hynny,' meddai Nain.

'Dim ond ar y dechra fel hyn,' mynnodd Taid.

'Wel, ella am ddiwrnod neu ddau nes byddi di wedi setlo. Ydi hynny'n gwneud i ti deimlo'n well?'

'Ydi, mae o.'

Pennod 26

Siarad wnaeth o a Now yr holl ffordd i'r ysgol. Now yn gwenu fel giât o hyd, wrth ei fodd bod y ddau am gael cwmni'i gilydd mor aml bob dydd. Digon tebyg oedd teimladau Robat, heblaw am ei bryder ynglŷn â beth fyddai o'i flaen. A'r siom o beidio cael mynd adref efo'i fam yn dal fel briw heb gau, heb fendio ar gefn ei feddwl. Ond mi fwynhaodd y cerdded i'r pentref efo Now.

Pasiodd ei fore cyntaf yn yr ysgol yn ddigon dymunol. Enw'r brifathrawes oedd Miss Bowen, a chafodd Robat groeso neis ganddi. Gan mai dim ond Now oedd yn ei 'nabod o cafodd eistedd yn yr un ddesg â'i ffrind. Er, fel yr eglurodd Miss Bowen, oherwydd mai dim ond chwech oed oedd o, fe ddylai fod yn nosbarth yr athrawes arall, Miss Evans. Fe sylwodd Robat yn fuan iawn fod Seth a Gruff yn eistedd efo'i gilydd yng nghefn y dosbarth a bod Miss Bowen yn gofyn i un ohonyn nhw wneud rhywbeth i'w helpu'n aml. Ateb Seth bob tro fyddai 'Wna i, Miss', ac ateb Gruff fyddai 'Stret awê, Miss Bowen'. Roedd yn anodd i Robat gredu y medrai dau mor gwrtais fod wedi codi cymaint o ofn arno. Penderfynodd beidio â phoeni mwy amdanyn nhw.

Fe ofynnwyd iddo ddangos i Miss Bowen sut roedd o'n darllen a sgrifennu, a faint wyddai o am adio a thynnu. Chafodd o fawr o hwyl ar y symiau ond fe roddodd hi ganmoliaeth iddo am ei sgrifennu ac am ei ddarllen yn arbennig. Roedd y gwaith sgrifennu a'r symiau i gyd ar y diwrnod cyntaf yn cael ei wneud ar lechi ac, yn wahanol i'w ysgol yn y dref, ychydig iawn o Saesneg oedd i'w glywed yn yr ysgol – dim gan y plant eu hunain.

Chwarae taflu cardiau sigaréts oedd y gêm bwysicaf ar iard y bechgyn. Taflai un ohonyn nhw gerdyn tuag at wal yr ysgol, yna byddai'r lleill yn taflu cerdyn neu ddau i drio cael un ohonyn nhw i ddisgyn ar ben y cerdyn a daflwyd gyntaf. Doedd Robat ddim wedi gweld y gêm o'r blaen – o leiaf, meddyliodd, roedd hi'n well na chwara eista. Ddywedodd o mo hynny wrth Now. Diolchodd nad oedd y ddau hogyn mawr annifyr wedi dod yn agos ato ar yr iard.

Ar y ffordd adref i gael eu cinio mi ofynnodd Robat i Now a oedd yn lecio Seth a Gruff.

'"Seth y deth" maen nhw'n ei alw fo,' meddai Now.

'Pam, Now?'

'Am fod o wedi dŵad i'r ysgol am hir efo dymi yn ei geg.'

Doedd Robat ddim yn deall.

'Dim ots,' meddai Now. 'Ond dydi plant ddim yn ei alw fo'n hynny rhag ofn iddyn nhw gael eu lladd. Felly paid titha, Robat.'

'Wna i ddim.'

'A hen ddiawl stimddrwg ydi'r lwmp Gruff 'na hefyd.' Meddyliodd Now, 'Y peth calla i ti ydi gwneud fel dw i'n wneud – cadw o'u ffordd nhw. A phaid â gadael iddyn nhw dy ddal di ar dy ben dy hun.'

'Mi arhosa i yn agos atat ti, Now.'

Rhwng bwyta'i fwyd a dweud hanes y bore wrth Taid a Nain, fe aeth yr awr ginio'n sydyn iawn. Ymhen dim bron roedd Now wrth giât y cowt yn chwibanu arno.

'Mae'r hogyn pengoch 'na'n dechra mynd yn rhy hy,' meddai Nain. Wnaeth Taid ddim dangos ei fod yn cytuno. Jyst cyn gadael y tŷ cofiodd Robat am y tro cyntaf am y bagiad o *mint imperials* roddodd Lisabeth iddo, ac aeth â nhw efo fo i'r ysgol.

Fe gafodd dosbarth Miss Bowen lai o waith caled yn y

prynhawn, a mwy o waith darllen a thynnu lluniau. Tynnodd Robat lun eliffant fel roedd ei dad wedi'i ddysgu, a chael canmoliaeth gan Miss Bowen. Roedd hi wedi'i phlesio gymaint fel y daliodd y llun i bawb yn y dosbarth fedru'i weld. Sylwodd Robat nad oedd y ddau hogyn mawr yn y cefn wedi codi'u pennau i edrych ar ei ddarlun.

Ar ddechrau amser chwarae'r pnawn, mi roddodd Robat un da-da i Now. Ar y pryd roedd o wrthi'n gwylio'i ffrind mewn gêm o daflu'r cardiau sigarét, pan sylweddolodd ei fod isio rhuthro i'r tŷ bach. Roedd ar ganol gwneud dŵr pan ddaeth Seth a Gruff i mewn a sefyll wrth ei ymyl. Gwyddai Robat yn syth eu bod nhw yno i wneud rhyw ddrwg iddo. Gwyddai hynny'n fwy sicr byth pan dynnodd Seth gyllell o'i boced dan wenu.

'Ddeudson ni wrthat ti am hon, do, cyw?'

'Do.' Teimlodd Robat yr atal yn cau am ei wddf.

'Wel, cyw, os na roi di dda-da i Gruff a fi, mi dorra i dy bidlan di i ffwrdd! Dallt?'

'A fydd gyn ti ddim un wedyn, na fydd?' meddai Gruff.

Chwifiodd Seth y gyllell o flaen wyneb Robat. 'Ty'd, 'dan ni isio'r bag da-da yna. Brysia!'

Fedrai Robat ddweud dim, ond aeth i'w boced a rhoi'r bag *mint imperials* i Seth. Wrth i hwnnw roi un yn ei geg fe redodd Now i mewn i'r tŷ bach.

'Allan, cochyn!' gwaeddodd Gruff.

Roedd golwg wyllt iawn ar Now. Chymrodd o ddim sylw o Gruff a throdd at Seth. 'Yli'r uffar, rho'r bag 'na'n ôl i Robat, rŵan!'

'A be ti'n mynd i neud, y coc oen . . .'

Cafodd ei ateb ar unwaith pan symudodd Now fel mellten gan gicio Seth yn galed rhwng ei goesau. Rhoddodd hwnnw floedd boenus, disgynnodd y *mint imperial* o'i geg a disgynnodd Seth ar y llawr yn ei ddyblau'n griddfan a chrio bob yn ail dros y tŷ bach. Gan fod ei ddwylo yn rhy brysur yn nyrsio lle roedd y boen waethaf, fe ollyngodd y bag da-da a'r gyllell. Edrychai Robat a Gruff fel petai'r ddau wedi cael yr un sioc – y ddau'n syllu'n syn, wedi'u dychryn a'u cegau yn hanner agored.

Cododd Now y gyllell a'r *mint imperials* a rhoi'r bag i Robat, ond doedd o ddim wedi dod ato'i hun ddigon i ddweud diolch. O ganol y griddfan a'r crio medrodd Seth weiddi,

'Gruff, neidia ar y cochyn!'

Bellach roedd Now wedi codi'r gyllell ac yn ei dal o'i flaen fel dyn drwg mewn ffilm Tom Mix. Ond roedd yr hogyn tew wedi dychryn gormod i fod yn beryg i neb. Heb rybudd trodd ar ei sawdl a rhedodd o'r tŷ bach.

'Cachgi!' gwaeddodd Seth.

Gadawodd Now Seth lle'r oedd o, ac aeth â Robat efo fo allan i'r iard. Roedd sŵn yr udo crio a'r griddfan ychydig yn llai.

'Wyt ti'n iawn rŵan, Robat?' Nodiodd Robat. Aeth Now ymlaen. 'Wnaeth o mo dy frifo di, naddo? A dim ond un da-da gollist di.'

'Ia.'

Aeth Now at y wal oedd rhwng iard yr ysgol a chae anferth fferm yr Hafod. 'Dw i am daflu hon i ganol y cae gwair 'na . . .' Cododd y gyllell bron at ei ben yn barod i'w thaflu, yna tynnodd ei fraich i lawr. Meddyliodd am ennyd, a gwyddai Robat, a oedd wedi sylwi ar yr arferiad gan ei ffrind, y byddai yna syniad go newydd yn dod nesaf.

'Dydi Miss Bowen ddim yn gadael i ni ddŵad â chyllyll i'r ysgol.' Gwenodd. 'Dw i'n meddwl yr a' i â hon iddi. A deud 'mod i wedi'i ffendio hi . . .' Dechreuodd bwffian chwerthin '. . . ar lawr yn nhŷ bach yr hogia!'

Dim ond gwenu fedrai Robat ei wneud ond roedd Now yn chwerthin yn uchel. Yn sydyn camodd yn ei ôl a rhoi'i ben i mewn i'r tŷ bach.

'Well i chdi godi oddi ar y llawr, Seth, cyn i rywun biso ar dy ben di!'

Ar y ffordd adref roedd Robat wedi dod ato'i hun eto. A medrodd ddiolch i Now. Yr un pryd gofynnodd yn bryderus, 'Ond be wnân nhw rŵan i ni, Now?'

'Dim byd ddeudwn i. A wyddost ti pam, Robat?'

'Na wn i.'

'Wnaethon ni droi arno fo, do.'

'Wnest *ti*, Now.'

'Ia, wel – faswn i ddim wedi gwneud o gwbwl ond dy fod ti yno.'

Trodd Robat i edrych ar ei ffrind a theimlo rhyw hoffter mawr tuag ato. Pa hogyn arall fyddai wedi rhannu efo fo y clod am fod yn ddewr?

Cyn cyrraedd Bryndu fe ofynnodd Robat, 'Sut wnest ti ddysgu'r tric cicio 'na, Now?'

'Elin ddysgodd fi. Fel 'na roedd hi'n sodro 'nhad.'

Edrychai Robat fel 'tase fo ddim yn coelio'r un gair.

'Dy fam yn cicio dy dad? Cogio wyt ti?'

'Na, wir.'

'Ond pam, Now?'

Chwythodd yr hogyn pengoch ei anadl allan yn swnllyd gan roi'r argraff bod yr ateb yn boenus iddo. 'Pam, Robat . . . am ei fod o'n dŵad adra'n feddw gaib, ac am roi cwrbaits i'r tri ohonon ni.'

Roedd yn rhy anodd i Robat ddychmygu'r fath dad na'r fath fam, felly fedrai o feddwl am ddim i'w ddweud.

'Wedyn mi ddoth i 'mhen i'n sydyn yn y tŷ bach 'na, os oedd o'n gweithio bob tro ar ryw lembo mawr 'run fath â 'nhad, mi ddylai weithio ar Seth y deth!'

'Ac mi wnâth!' meddai Robat. Yna daliodd y bag *mint imperials* o'i flaen i'w cynnig i Now. 'I chdi mae'r rhain.'

'Na, chdi pia nhw.'

'Plîs, Now, dw i isio i ti eu cael nhw yn fwy na dim byd arall.' Edrychodd y ddau ar ei gilydd. 'Plîs, Now.'

'Iawn, 'ta, os cymri di un.'

Rhoddodd Robat hanes yr helbul efo Seth a Gruff i Taid, ac mi ddywedodd y byddai o'n dweud wrth Nain.

Chlywodd Robat ddim byd am y peth wedyn nes daeth Nain i'w weld yn ei wely. Roedd yr hanner cwpaned o sgotyn ganddi.

'Ti'n mynd yn hogyn mawr. O hyn allan gei di yfed dy sgotyn yn y gegin efo Taid a fi. Ac o hyn ymlaen hon fydd dy lofft di.' Edrychodd hi o gwmpas y stafell. 'Fasa hi wedi bod ddigon gwag ynddi heno heb Robat Wyn.' Symudodd yn frysiog i dwtio dillad y gwely. 'Hen eliffant bach 'na wedi bod yn dipyn o gympeini i ti, do?'

'Do. Dadi roddodd o i mi.'

'Mi wnei di ddal dy afael yno fo, wnei?'

'Gwnaf.'

Cymrodd hi gam tuag at waelod y gwely, yna arhosodd.

'Gest ti draffarth efo'r hogia 'na pnawn 'ma, dw i'n dallt.'

'Do.'

'Ond wnest ti ddim crio na dim?'

'Naddo.'

Oedd yna fymryn o wên ar lein syth ei cheg?

'Ia, fel y deudis i – ti'n mynd yn dipyn o hogyn . . . O, ia, mae Taid a finna wedi bod yn meddwl dros betha. Os leci di, mi gaiff y Now 'na ddŵad i chwara yn y cowt ac ar y caea. Ond dydi o ddim i ddŵad i'r tŷ na'r sgubor. Fel y gwyddost ti, mae 'na lond caets o gywion bach yno, ac maen nhw i gael llonydd. Ond fe gei di'u bwydo nhw pan ddeudith Taid.'

Pennod 27

Roedd y misoedd nesaf ymhlith rhai hapusaf ei fywyd. Ond doeddan nhw ddim yn ymddangos mor hapus weithiau – roedd arno hiraeth am ei fam a Nana, roedd yn colli mynd i'r Stryd Fawr a'r Arcadia, a doedd o ddim yn byw lle'r oedd arno isio bod. Weithiau hefyd byddai gorfod gwneud tasgau diarth yn boenus iddo – fel mynd allan i helpu Taid yn y gwynt a'r glaw, bwyta rhai o fwydydd di-flas Nain, mynd i'r capel a dysgu adnodau. A'r gwaethaf oll oedd gorfod sefyll yn y sêt fawr i ddweud ei adnod o flaen pawb, ac yntau ofn ei galon y byddai'i atal yn ei rwystro rhag cael un gair allan. Doedd neb i'w weld yn deall fod ganddo'r hunlle honno Sul ar ôl Sul.

Ond yr un pryd gwyddai fod llawer o bethau newydd gwerth eu cael yn digwydd iddo, yn ei gynhyrfu ac yn gwneud iddo deimlo'n braf hefyd. Fwy nag erioed o'r blaen medrai sefyll ar ei draed ei hun – gyda help Now weithia. Am y tro cyntaf yn ei fywyd gwyddai beth oedd cael ffrind a oedd mor hoff ohono fo ag roedd o o'i ffrind. Er bod ganddo gartref hen-ffasiwn a heb fawr o hwyl ynddo, gwyddai'r un pryd fod yno gariad a gofal mawr ohono. Yn Wncl Huw fe gafodd arwr i gymryd lle ei dad, un oedd mewn gwirionedd yn llawer mwy o foi na Tom Mix. Chafodd Robat fawr o fwythau o'i gymharu â'r hyn yr arferai gael gan ei fam a Nana. A wnaeth o ddim peidio colli'r mwythau hynny o gwbl. Ond fe gafodd rywbeth arall – medru dibynnu ar y ddau ym Mryndu, i fod yno pan oedd o'u heisio nhw, i fod yn deg efo fo bob amser, i fod yn onest efo fo ac i beidio â'i siomi.

Ac fe gafodd gyfrifoldeb a olygai malio'n gyson dros anghenion rhai heblaw fo'i hun – bwydo, rhoi dŵr a chadw llygaid ar y cywion ieir yn y sgubor. Gwnaeth hynny'n ofalus a rheolaidd nes daethon nhw'n ddigon mawr i gymryd eu siawns ar y cowt efo'r ieir eraill. Trwy hyn i gyd roedd o'n tyfu'n gryfach ac yn iachach gyda gwell lliw ar ei wyneb, er y daliai'i goesau a'i freichiau i fod yn denau. Y newid mawr arall oedd fod ganddo ddiddordeb mewn llawer mwy o bobl a phethau, ac yn mwynhau bod ar Lôn Gweunydd ynghanol yr harddwch naturiol oedd yn newid o hyd o'i gwmpas.

Aeth ar gefn y moto beic i hela sgyfarnogod a chwningod efo Wncl Huw ar ambell nos Fercher wedyn. Fel arfer i lawr Lôn Gweunydd neu ar y Gors Fawr, ond byth ar dir y tŷ mawr. Ymhen amser daeth Robat i lecio cig sgyfarnog neu gwningen gymaint â chig cyw iâr.

Daeth Lisabeth dair gwaith wedyn i Fryndu efo Anti Mair. Ond wnaeth Robat na hithau ddim sôn am fynd i ben y das wellt. Roedd o'n falch o hynny ar y pryd, ond rywsut pan edrychai'n ôl roedd o wedi'i siomi'n ddistaw bach hefyd. Y ddau dro cyntaf daeth hi â bagiad o *mint imperials* iddo. Fe gafodd o'r bagiad ganddi yn y sgubor, ac roedd y ddau, wrth sugno'r da-da, wedi cusanu a dweud y byddan nhw'n ddau gariad am byth. Daeth hi â phêl efo hi'r trydydd tro yn lle'r *mint imperials*, ac yn lle mynd i'r sgubor aethon nhw i chwarae efo'r bêl ar y cae uchaf. Ddaeth Lisabeth ddim yno efo'i mam wedyn, ac eglurodd Anti Mair fod yna hogyn a hogan yn y teulu newydd ddaeth i fyw drws nesa iddyn nhw yn Llangefni a bod Lisabeth wedi mynd yn ffrindiau mawr efo'r ddau.

Ond doedd ddim posib iddi fynd yn gymaint o ffrindiau efo nhw ag yr aeth Robat efo Now. Roeddan nhw efo'i gilydd ymhobman – fe ddaeth Now hyd yn oed i'r ysgol Sul efo'i ffrind. Ond gwrthododd ddysgu unrhyw fath o adnod neu bennill. Buon nhw ill dau am oriau yn hel malwod gan smalio mai teirw oedd y rhai mawr, gwartheg oedd y rhai llai ac mai lloiau oedd y rhai bach melyn a choch. A phan drodd y gwanwyn yn haf cafwyd rasys dal cacwn gwyllt mewn hen botiau jam. Cyn belled ag y gallai'r ddau fod gyda'i gilydd roeddan nhw'n fodlon. Dyna oedd y rheswm pennaf pam roedd Robat mor hapus yn yr ysgol – roedd Now wrth ei ymyl o hyd heblaw am ambell wers symiau.

Chafwyd dim mwy o helbul efo Seth a Gruff ac fe gadwodd Robat a Now o'u ffordd nhw gymaint ag roedd yn bosibl mewn ysgol fach. A Robat – am ei fod mor ddedwydd yno – yn dod yn ei flaen yn gyflym efo'i wersi. Gwella'n fawr wnaeth ei waith symiau, a daeth i ddarllen a sgrifennu cystal â'r gorau o'i oed. A fo oedd y gorau o bawb yn yr ysgol am dynnu llun eliffant.

Weithiau ysgrifennai lythyr ar un dudalen fach i'w fam. Ynddo gofynnai a oedd Nana'n well a dweud ei fod o a Taid a Nain yn iawn. Dewisodd beidio â sôn gair am Mistar Philips a'i siop. A weithiau câi lythyr ar bapur pinc efo blodau ac ogla sent arno gan ei fam yn dweud sut roedd Nana. Bob tro byddai'n siŵr o sôn mor braf oedd gweithio yn y siop ac mor ffeind oedd Mistar Philips. Unwaith mi sgrifennodd Robat at Nana yn y *C and A Infirmary* ond chafodd o ddim ateb yn ôl.

Yn y nos, ran amlaf, y meddyliai am ei dad pan glywai Taid yn pesychu neu'n llosgi powdwr. Yr adegau hynny byddai – heb feddwl bron – yn gwasgu'r eliffant piws yn dynnach i'w gesail. Weithiau hefyd deuai pwl o hiraeth sydyn drosto am ei dad, fel petai rhywbeth wedi achosi iddo gael cip anghyfarwydd ar y bwlch a oedd yn ei fywyd hebddo ac a fyddai'n aros ynddo trwy'r blynyddoedd o'i flaen.

Daeth ei fam i'w weld bedair gwaith yn ystod y tri mis cyntaf. Deuai â dillad iddo mewn parsel, a Mistar Philips yn y fan wen efo hi bob tro. Teimlai Robat ei bod hi'n gwrando mwy a mwy ar be ddywedai Mistar Philips. Ac er bod y dyn yn dod â basgedaid o ffrwythau efo fo'n gyson, ei lecio'n llai o hyd a wnâi Robat. Y tro olaf, wrth wylio pen-ôl y fan yn brysio oddi wrtho ar y ffordd i'r dref meddyliodd Robat – er mwyn trio gwneud ei hiraeth am ei fam yn llai – na fyddai'n gorfod diodde'r hen ddyn annifyr hwnnw am dair wythnos arall.

Pennod 28

Ond nid felly y buodd hi – fe ddaeth ei fam a Mistar Philips ynghynt. Ar y pryd roedd hi'n ddydd Sadwrn ar ddiwedd mis Mehefin sych a phoeth. Yn y cae isa roedd y gwair wedi ei dorri ac wedi sychu digon i'w gario. Yn fuan ar ôl cinio cynnar y diwrnod hwnnw, daeth nifer o ddwylo parod iawn i gario'r gwair a oedd wedi'i osod yn gocynnau crwn, twt. Ymhlith y rhai oedd yn helpu o dan ordors Taid roedd Anti Mair, Lisabeth, Now a Robat. Ychydig ar ôl y lleill cyrhaeddodd trol a cheffyl ffarm Gweunydd Ucha, gyda'r ffarmwr Ned Hughes a'i ferch Gresi. Wrth iddi neidio i lawr o'r drol roedd Now wedi sibrwd yng nghlust Robat,

'Dyma hi fy lefran i. Be ti'n feddwl – del?'

'Del iawn.' Ond roedd yn well ganddo Lisabeth, er na chymrodd hi fawr o sylw ohono ar ôl cyrraedd Bryndu. A doedd o ddim yn teimlo'n ddigon sicr ohoni bellach i ddweud wrth Now bod ei lefran yntau yno hefyd. Ond beth gododd ysbryd Robat yn fwy na dim oedd clywed sŵn moto beic Wncl Huw yn rhuo at giât cae isa. Rhedodd at y giât i'w gyfarfod ac roedd wrth ei fodd yn clywed y byddai'i ewyrth yn helpu efo nhw yn y cae.

Gwaith Robat a Now oedd cribinio, a Gresi oedd yn gafael ym mhen y ceffyl. Ei thad oedd ar y drol ac Wncl Huw a godai'r gwair iddo tra oedd Anti Mair a Lisabeth yn twtio'r cocynnau wrth iddyn nhw gael eu chwalu. A Taid oedd yn pwyso ar ei ffon ac yn gweld a oedd pawb yn gwneud eu gwaith yn iawn. Erbyn i Nain gyrraedd efo'r ddiod a'r bwyd yn yr un fasged fawr a gariodd y menyn a'r wyau i Langefni, roedd hi'n chwilboeth yn y cae a phawb yn chwysu'n braf. Jam cwsberis – yr olaf o'r potiau wnaeth Nain y llynedd – oedd ar hanner y brechdanau. Caws a nionyn picl oedd ar y lleill, ac roedd yna lond lliain gwyn o sleisys tew o'r dorth frith fawr grasodd Nain y bore hwnnw. Roedd 'na ddewis rhwng te poeth a jygiad fawr o bosal dŵr wedi'i gadw'n oer mewn pwcedaid o ddŵr y pydew yn y tŷ llaeth. Te gymrodd Robat a theimlai fod yna flas go arbennig ar fwyta bwyd mewn cae ar ôl gweithio'n galed yn yr haul.

Pan aeth Nain â'r jygiau a'r cwpanau yn y fasged yn ôl i'r tŷ, aeth Taid efo hi gan ddweud fod y gwres a llwch y gwair wedi dechrau effeithio ar ei frest. Wedi iddyn nhw fynd o'r golwg fe newidiodd pethau. Yn gyntaf fe ddywedodd Wncl Huw wrth y plant am fynd i chwarae am ychydig tra oedd o a thad Gresi'n cael smôc a sgwrs efo Anti Mair. Gan fod tipyn go lew o'r cocynnau'n dal heb eu cario, aeth y plant ati i drio dal ei gilydd wrth rasio rhyngddyn nhw. Sôn am hwyl a chwerthin – roedd Robat ar ben ei ddigon. Wedyn fe aethon nhw i chwarae cuddio ac fe ddigwyddodd Robat a Lisabeth guddio'r tu ôl i'r un cocyn. Gyda Now wedi mynd i chwilio amdanyn nhw ym mhen arall y cae, fe gawson nhw gyfle am sgwrs ddistaw.

'Ti wedi tyfu, Robat,' meddai Lisabeth. 'Ti jyst cyn daled â fi, 'sti.'

Gwyddai Robat nad oedd o ddim, ond roedd o'n lecio'i bod hi wedi dweud. Wrth edrych yn ôl wyddai o ddim yn y byd sut y cafodd o'r plwc, ond clywodd ei hun yn gofyn, 'Gresi ydi lefran Now . . . Wel, ga i ddeud, Lisabeth, mai chdi ydi f'un i?'

Meddyliodd hi dros y cwestiwn cyn ateb. 'Cei, am heddiw, ond . . .' dangosodd y dannedd bach gwyn i gyd, 'dw i wedi chwysu lot, felly rhaid i ti ddisgwyl i mi 'molchi efo sebon sent cyn cei di gusan.'

'Yn y sgubor, ia?'

Gwenodd eto, 'Ella, wir, os byddi di'n hogyn da.'

Roedd Robat yn ei nefoedd ac yn ysu i ddweud am

Lisabeth wrth Now. Ond mi welodd Now o'n sefyll yn y golwg, a chlywodd Robat Now'n dweud yn uchel wrth Gresi,

'Hei, sbia ar y ddau acw'n cuddio efo'i gilydd!'

Trodd Robat at Lisabeth. 'Gawn ni redeg atyn nhw?'

'Os wyt ti isio,' atebodd hithau'n hanner gwenu. Ond cyn iddyn nhw gychwyn rhedeg daeth sŵn corn car yn udo'n uchel o gyfeiriad Lôn Gweunydd. Wedi aros gyferbyn â'r cae isa roedd y fan wen, ei fam yn camu ohoni gan godi'i llaw arno, a phen gwallt du'r Mistar Philips hwnnw i'w weld yn glir wrth ei hymyl.

Wrth gwrs roedd Robat yn falch o'i gweld hi, ond mi fyddai wedi bod yn llawer gwell ganddo 'tase hi wedi cyrraedd ychydig yn hwyrach. Erbyn hynny mi fyddai hwyl fawr y cae gwair trosodd a'r rheini oedd yn rhannu'r sbort efo fo wedi mynd adref.

Ond dyna fo, y peth pwysicaf oedd – treiodd ddweud wrtho'i hun – ei bod hi yno, ac yn edrych yn ofnadwy o ddel mewn ffrog las olau ysgafn na welodd o erioed mohoni o'r blaen. A doedd dim ots ganddo fod y lleill ar y cae yn ei weld o'n cael ei wasgu i'w chesail a'i gusanu ganddi. Wrth bwyso'i wyneb yn erbyn meddalwch ei chorff, gallai deimlo'i lipstic coch, coch, yn hanner glynu wrth ei dalcen, a chlywed yr ogla sent neis tu ôl i'w chlust, a theimlo gwaelodion y gwallt melyn tlws yn cosi'i fochau a blaen ei drwyn. Roedd o'n falch fod y lleill yn cael cyfle i weld yn iawn mor ddel ac ifanc oedd ei fam sbesial o. Ar draws cysur cael mwythau ganddi, clywodd lais yr hen ddyn hwnnw.

'Siŵr ei fod o wedi cael hen ddigon o fwythau. Gwell i ni ddeud wrtho fo'n syth pam 'dan ni yma, Sal.'

Gollwng ei gafael arno wnaeth ei fam a gwenu. 'Syrpréis neis iawn i ti, cariad bach – ti'n dŵad efo ni adra i'r dre. A be ti'n ddeud am hynna?' Roedd hi'n wên i gyd a golwg hapus iawn arni.

Ond am eiliad neu ddau wyddai Robat ddim beth i'w ddweud. Yna'n methu deall pam roedd o'n oedi, gofynnodd, 'Ydw i'n mynd yn ôl i fyw yn y dre heddiw?'

Nodiodd hi gan ddal i wenu. 'Mistar Philips sydd yn meddwl . . .' Torrodd y dyn ar ei thraws, 'Na, na, Sal, Mistar Philips sy'n deud dy fod ti, Robat, wedi cael gormod o dy fagu gan ferched, a'i bod hi'n amser gwneud dipyn o ddyn ohonot ti.'

Doedd Robat ddim yn deall yn iawn beth roedd Mistar Philips yn ei feddwl.

'Chwara efo genod roeddat ti rŵan eto, 'te?'

'A Now.'

'Ia, wel, dw i wedi sylwi ar ddigon i weld sut mae'r gwynt yn chwythu, 'machgen i. Ti angen dyn i roi tipyn o siâp hogyn iawn arnat ti.'

Am resymau doedd o ddim yn siŵr ohonyn nhw, teimlai Robat yn flin efo'r dyn. 'Ond mi fues i ar foto beic efo Wncl Huw, ac roedd o'n saethu efo'i wn.' Trodd at ei fam,

'Wir, Mami.'

'A pheth arall dydw i ddim yn lecio'r "Mami" 'na. Mam ydi hi i chdi.'

'Ond dyna mae o wedi arfer ei ddeud,' meddai'i fam yn sydyn.

'Wel, mae'n amser iddo dyfu i fyny.' Edrychodd y dyn ar Robat. 'Dydan ni ddim yma i gael sgwrs efo chdi. Mae popeth wedi'i setlo – ti'n dŵad adra efo ni rŵan. Mae dy daid a dy nain yn gwybod hynny. Felly rhed i'r tŷ i bacio dy betha.'

Aeth ei fam efo fo i'r tŷ a'i helpu i roi'i ddillad i gyd mewn bag lledr cryf. Pan aeth o ei hun i'r llofft i gael ei ddillad nos, daeth Nain ar ei ôl.

Wedyn pan oedd o wrthi'n edrych o amgylch y llofft rhag ofn ei fod wedi anghofio rhai o'i bethau, fe wnaeth Nain rywbeth hollol ddiarth iddi – mi roddodd ei breichiau amdano a'i wasgu ati, ond nid mor dynn ag y gwnaeth ei fam. A phan siaradodd hi roedd ei llais yn isel a ffeind.

'Faswn i byth yn trio dy dynnu di oddi wrth dy fam. Ond cofia os byddi di unrhyw bryd isio dŵad yn ôl . . .' Aeth ei llais yn feddal '. . . fydd 'na neb yn falchach o dy weld ti na fi, Robat Wyn.' Ac wrth iddi bwyso'i boch ar ei gyrls, clywodd o ogla'r sebon coch ar ei chroen. Teimlai fod rhaid iddo ddweud wrthi pam roedd o'n ei gadael hi.

'Ond dw i'n lecio bod efo Mami a Nana yn ei thŷ hi yn y dre.'

'Dw i'n dallt hynny,' meddai hi gan dynnu'i breichiau oddi wrtho. 'Ond os daw diwrnod pan deimli di'n wahanol, cofia be ddeudis i . . .'

Wrth iddo gychwyn am y drws a'i ddillad nos yn ei ddwylo, fe bwyntiodd hi at lwmp yn y dillad gwely. 'Sbia, ti wedi gadael rhywbeth ar ôl yn y gwely.'

Rhoddodd ei law o dan y dillad a thynnu allan yr eliffant piws.

'Bobol bach!' meddai hi. 'Fasa wiw i chdi fynd heb hwnna.'

'Faswn i wedi dŵad yn f'ôl i' nôl o, Nain.'

'Basat, siŵr,' meddai hithau.

Wrth groesi'r cowt efo'i fam fe gofiodd Robat am ei bres yn y sgubor. Yn ystod tri mis aeth y swm yn ddau swllt ac wyth ceiniog, a doedd o ddim yn mynd i adael y fath ffortiwn o dan y sachau tatws. Rhag iddyn nhw wneud gormod o sŵn ac i'r hen Mistar Philips ei holi, fe rannodd nhw rhwng ei dair poced, ac fe ddywedodd wrth ei fam beth wnaeth o.

'Call iawn,' meddai hi, 'ond ty'd, brysia rŵan, dydi o ddim yn un da am ddisgwyl.'

Erbyn i'r ddau gyrraedd y fan wen roedd Taid a'r lleill oedd yn y cae yn sefyll yno. Roedd Robat wedi disgwyl cael cyfle i ddweud ta-ta wrthyn nhw i gyd, ond fe gychwynnodd Mistar Philips y fan yn syth gan adael amser i ddim ond codi'i law ar bawb yr un pryd a gweiddi 'ta-ta' drosodd a throsodd.

Ond roedden nhw hefyd yn gweiddi'u ffarwél –

lleisiau'n dod yr un pryd o wahanol rannau o'r cowt a'r lôn. Taid a Nain wrth ymyl ei gilydd yn agos i ddrws y portico, Wncl Huw ac Anti Mair ar ganol y cowt, Lisabeth a Gresi wrth y giât a Now yn y lôn.

Dim ond pytiau o eiriau a arhosodd ar ei gof:

'Mi ofala i am y gorilas tan ddoi di'n ôl.'

'Gei di fwy o *mint imperials* Llangefni tro nesa.'

'Cofia be ddeudis i, Robat bach.'

'Fedri di ddim aros o'ma, 'sti, boi!'

Daliai i godi'i law wrth syllu trwy ffenest gefn y fan pan oedd hi ar y lôn bost i'r pentre. Roedd Bryndu wedi mynd o'r golwg ond gallai Robat weld Now o hyd fel 'tase fo am redeg ar eu holau yr holl ffordd i'r dre.

'Nefoedd! Dyna ddigon o godi dy law, siŵr!' meddai Mistar Philips a'i lais yn flin fel arfer. Cymrodd Robat un cip arall drwy'r ffenest gefn ond doedd Now ddim i'w weld.

Pennod 29

Ychydig a siaradodd ei fam a Mistar Philips efo fo nac efo'i gilydd. Ddwywaith fe ofynnodd hi a oedd Robat yn iawn, ac fe atebodd yntau bob tro ei fod o. Ond doedd o ddim. Y gwir oedd fod hiraeth am Fryndu a'r rhai fuodd yn agos ato yno wedi cymryd lle ei hiraeth am ei fam a Nana. Ar ben hynny teimlai ryw ofn heb wybod yn union beth oedd yn ei achosi – os nad ofn Mistar Philips oedd arno? Ia, roedd hynny'n wir, ond roedd yna ofn arall hefyd . . . y teimlad ei fod ar ymyl colli rhywbeth a oedd yn llawer mwy gwerthfawr a phwysig iddo nag roedd o wedi hanner ei ddeall cyn hyn. Cafodd ei fywyd ei newid gymaint gan bobol a llefydd mewn tri mis nes iddo fethu â bod yn siŵr o'i deimladau. A'r gwir oedd ei fod o, Robat Wyn, wedi newid hefyd. Ond faint mewn gwirionedd oedd y newid? A dyna oedd y cwestiwn mawr fedrai o mo'i ateb. Yr unig beth a wyddai yn hollol bendant oedd nad oedd o mor hapus ag y disgwyliai fod wrth iddo – o'r diwedd – gael mynd adref efo'i fam.

Daethant at geg Pont y Borth. 'Wyt ti'n cofio'r tro dwytha aethon ni dros hon, Robat?'

'Ydw.'

'Wel,' meddai'i fam yn hanner chwerthin, 'fydd dim rhaid i neb fynd allan o'r car i gerdded drosti heddiw.'

Ddywedodd Robat ddim a gofynnodd ei fam, 'Be sy – ti'n iawn?'

'Ydw.'

Daeth llais Mistar Philips yn siarp. 'Dydi o ddim yn llyncu mul, gobeithio? Gas gen i blant felly.'

'Nac 'di, siŵr,' meddai'i fam. Newidiodd ei llais i fod

yn ffeind iawn. 'O, ia, wyddost ti be, Robat – mae Mistar Philips am fynd â chdi i'r Arcadia i weld . . .'

'Os bydd o'n byhafio, ddeudis i, Sal.'

'O, dw i'n meddwl fod o'n gwybod hynny, on'd wyt, Robat?'

'Ydw,' oedd ei ateb, ei lais yn ddifywyd am ei fod yn meddwl y byddai'n llawer gwell ganddo gael mynd i'r pictiwrs efo Nana, ac mor braf fyddai bod efo Nana yn ei thŷ hi ac allan o sŵn y dyn annifyr oedd yn gyrru'r fan.

'Ac mae byhafio'n golygu bod yn ufudd. Ti'n dallt, Robat?'

'Ydw.' Roeddan nhw wedi croesi'r bont.

'Ac mae byhafio'n golygu stopio bod yn fabi – '

'Dydw i ddim yn fabi, wnes i ddim crio na – '

'Glywist ti hynna, Sal? Torri ar 'nhraws i! Ac rôn i'n meddwl iti ddeud fod o byth yn ateb yn ôl?'

Edrychai ei fam yn ddigalon iawn, 'Doedd o ddim, wir.' Trodd hi at Robat. 'Wnei di ddim eto, na wnei, cariad?'

'Na, wna,' meddai Robat yn ysu am weld diwedd y siwrne iddo gael neidio allan o'r fan a dianc i mewn i dŷ Nana.

Ond fe yrrodd Mistar Philips y fan i lawr y Stryd Fawr ac wedi iddo aros gyferbyn â'i siop, fe edrychodd o a Mami ar ei gilydd. Yna fe ddywedodd ei fam wrth Robat fod Nana wedi dod adre o'r *infirmary* ond mi ffendiodd doedd hi ddim digon da eto i edrych ar ôl ei hun. Felly, gan fod ei fam yn gweithio drwy'r dydd, fe aeth Nana i aros efo'i chwaer ym Mhwllheli. Ond chwarae teg i Mistar Philips, meddai ei fam gan wenu ar y dyn, fe wnaeth le yn y fflat oedd ganddo dros ei siop iddi hi gael aros mewn rhan ohoni tra oedd Nana yn yr ysbyty. A rŵan, chwarae teg i Mistar Philips unwaith eto, roedd o am adael i Robat hefyd aros yn y fflat. Fedrai o ddim credu'r hyn a glywai! Gwelai'n syth fod ei obaith olaf o gael dianc oddi wrth y dyn diarth ofnadwy wedi diflannu i gyd.

Yng nghefn y fflat roedd yr ystafell lle roedd ei fam yn aros. Doedd yna fawr o olau gan fod y ffenest mor fechan. Clywodd mai Mistar Philips osododd y gwely bach yn un gornel llawn cysgod yn sbesial i Robat. Roedd yn amlwg fod ei fam yn disgwyl iddo ddweud diolch, ond ddywedodd o ddim gair, ac aeth i edrych allan trwy ffenest yr ystafell a oedd yn hanner agored oherwydd y gwres. Ychydig iawn oedd yna i'w weld heblaw iard gul iawn, bron yn llawn o hen focsys pren neu gardbord. Yn y rheini roedd hen ffrwythau neu hen bysgod yn pydru, a'r drewdod ohonyn nhw'n codi trwy'r gwres i'w drwyn. Tu draw i wal yr iard gallai weld waliau tai llwyd, a thoeau llechi a chyrn simneiau, a dim byd arall ond topiau coed yn y pellter. Gwyddai Robat fod Afon Menai y tu ôl i'r coed, a thu draw i'r afon roedd Sir Fôn. Teimlai'n fwy digalon nag a deimlodd o erioed o'r blaen yn ei fywyd.

'Fe ddaw pethau'n well eto,' meddai'i fam, 'gei di weld – pan ddaw Nana adra.' Gosododd ei braich am ei ysgwyddau. 'Dw i'n gwbod, cariad bach, bod hi'n anodd i ti. Ond wir, chei di neb ffeindiach na Mistar Philips ond i ti beidio â'i ddigio fo.' Gwasgodd o ati. 'A wyddost ti be sy gynno fo? Y peth radio newydd 'na, a gramoffon efo record – gesia– "*Ain't she sweet?*" Be ti'n ddeud rŵan 'ta?'

Ddywedodd o ddim am nad oedd ganddo ddiddordeb yn Mistar Philips a'i bethau.

'A gwranda, wyddost ti'i fod o wedi prynu teisen neis efo eisin arni, a jeli a *blancmange* i ti gael te sbesial fel croeso adra – '

'Ond nid fan'ma ydi f'adra i, Mami!'

Edrychodd ei fam fel 'tase hi mewn poen sydyn. 'Ti'n meddwl 'mod i ddim yn gwybod hynny? Mae isio i ti gofio'i bod hi'n anodd arna inna hefyd.' Aeth ei llais i swnio'n flin. 'Mae'n hen bryd i chdi feddwl fod 'na rywun yn y byd 'ma heblaw chdi, Robat. Ond dyna ydi dy fai di wedi bod. Ac mae Mistar Philips yn iawn rywsut – byhafio fel babi ydi hynny.'

Roedd arno isio rhoi'i ddwylo dros ei glustiau; fedrai o ddim diodde'i chlywed hi o bawb yn siarad fel hyn. Camodd oddi wrthi a throi'i gefn ati. Petai o'n trio siarad gwyddai y byddai'n torri i grio. Teimlodd ei ddwylo ar ei ysgwyddau.

'Sori, Robat, mae Mami'n ypsét hefyd. Ond dw i'n gofyn i ti beidio â'i ddigio fo neu wnaiff o ddim madda i ti – dw i'n 'nabod o bellach. Jyst paid â difetha petha, plîs, Robat.' Anadlodd hi'n ddwfn. 'Dw i'n mynd i'w gegin o i osod y bwrdd te. Mi ddaw ynta i fyny i gael gair efo chdi. Gwagia dy betha ar y gwely – dangos dy fod ti isio aros. A bendith tad i ti, gwena dipyn a diolcha iddo! Wnei di jyst gwneud hynny i mi?' Nodiodd Robat.

Aeth ei fam allan drwy'r drws gan ei adael heb ei gau. Gallai glywed sŵn ei thraed yn mynd i lawr y grisiau. Syllodd ar y bag lledr ar y gwely, a heb fawr o ddiddordeb dechreuodd ei wagio. Doedd o ond wedi codi dau neu dri o bethau ohono pan glywodd sŵn traed trymion Mistar Philips yn dringo'r grisiau i'r fflat ac yn dod i mewn ato.

'Dy fam isio i mi gael gair efo chdi. Yli, Robat, dw i'n gwybod 'mod i wedi bod yn harthu arnat ti braidd. Ond gweld rôn i lle roeddat ti'n wan – dy fod ti wedi cael dy gadw'n blentyn fengach nag wyt ti, ac mae hynny'n beth drwg.'

Gan nad oedd o'n hoffi beth roedd o'n ei glywed, rhyw hanner gwrando oedd Robat, ac fe dynnodd grys allan o'r bag.

'Gad lonydd i hwnna rŵan a gwranda arna i.' Gollyngodd Robat y crys ar y gwely. Aeth Mistar Philips ymlaen. 'Gollis inna 'nhad yn ifanc, ond yli lle dw i heddiw – dwy siop, pres yn y banc. A wnes i mo hynny wrth ddal i fod yn fabi. Ond wrth wneud be, Robat?'

Doedd gan Robat ddim 'mynedd i ateb y dyn, ond mi ddywedodd yr unig ateb ddaeth i'w ben. 'Wrth werthu fala, ac oranges . . . a physgod a rhew.'

Dechreuodd Mistar Philips ddrymio'i fysedd ar haearn gwaelod y gwely, ac aeth ei geg yn gron gan chwythu gwynt ohoni fel 'tase fo'n trio chwibanu ond yn methu. Ymhen ychydig meddai, a'i lais yn ddistawach,

'Wnes i ddim codi am y rhew.' Mwy o ddistawrwydd ac o sŵn y dyn yn methu chwibanu. 'Ddechreua i eto – dw i am dy drenio di i dyfu i fyny i fod yn hogyn iawn. Ond rhaid i ti 'neud fel dw i'n deud, cytuno?'

Chafodd o ddim ateb gan Robat. Camodd Mistar Philips yn nes at ben y gwely. 'I ddechra mi wagian ni'r bag 'ma.' Cododd y bag lledr a'i droi efo'i ben i lawr mor wyllt fel y disgynnodd rhai o'r pethau dros erchwyn y gwely ac ar y llawr. Wrth i Mistar Philips gymryd cam arall ymlaen clywid sŵn rhywbeth yn malu. Rhuthrodd Robat heibio iddo a chodi'r eliffant bach piws a oedd wedi ei sigo allan o siâp. Gwasgodd yr eliffant yn erbyn ei foch gan roi mwythau iddo.

'A be ti'n neud efo hwnna eto rŵan?' Edrychai Mistar Philips yn flin iawn.

Am ennyd roedd Robat wedi ei gynhyrfu gormod i ateb, a phan fedrodd wneud roedd ei lais yn rhyfedd fel petai o'n methu anadlu. ''Dach chi wedi'i falu o! A Dadi roddodd o i mi.'

'Sori, welis i mohono fo. Ond dydi o'n dda i ddim rŵan eniwê.'

'Ydi mae o! Mae o'n cysgu efo fi bob nos.'

'Dyna'n union am be dw i'n sôn. Babis sy isio dol neu dedi bêr neu ryw lol felly i gysgu efo nhw.'

Newidiodd ei lais i fod yn gryf iawn. 'Anghofia am gysgu efo dy doi – sy wedi malu beth bynnag. A thafla fo i ffwrdd.'

Roedd Robat bron â chrio. 'Wna i byth neud hynny . . . byth!'

'Robat, dw i'n mynd i roi gorchymyn i ti. A dw i'n disgwyl i ti ufuddhau. Dos â'r eliffant seliwloid 'na drwy'r drws acw.' Pwyntiodd Mistar Philips at ddrws yr ystafell. 'I lawr dau risiau i'r iard yn y cefn. Mi weli di dun lludw yno. Rho'r eliffant yn hwnnw. Mae 'na sinc wrth y drws cefn – golcha dy ddwylo yn fan'no. Wedyn – ar ôl i ti neud hynny i gyd yn union fel rydw i wedi deud – ty'd i fyny i 'nghegin i ac mi gei di de gwerth ei gael.' Gwenodd. 'Ar ben hynny, os byddi di'n peidio bod yn niwsans, synnwn i ddim na fydd y tri ohonon ni'n mynd i'r Arcadia heno. Wel, Robat, be sy gyn ti i' ddeud am hynna i gyd?'

Pan welodd Mistar Philips nad oedd am gael ateb, mi bwyntiodd eto at y drws. 'Iawn 'ta, os mai felly ti am fod. Ond dos a gwna'n union fel y deudis i. Dos – sydyn rŵan!'

Brysiodd Robat allan o'r llofft. Tra oedd y dyn annifyr wedi bod yn ei ddwrdio ac yn dweud fel roedd pethau i fod, roedd meddwl a theimladau Robat wedi dod at ei gilydd i wneud rhywbeth hollol wahanol.

Rhedodd i lawr y grisiau heibio i ddrws agored lle clywai sŵn ei fam yn hwmian canu a sŵn llestri. Ymlaen i lawr rhes o risiau eraill ac yn syth at lle roedd drws ffrynt y fflat o'i flaen. Wedi mymryn o fethu troi'r clo, agorodd y drws a chamodd allan i'r Stryd Fawr. Teimlai ychydig yn well ar unwaith. Trodd i'r dde a rhedeg nerth ei draed am sgwâr y dref, gan afael yn dynn yn yr eliffant. Gwyddai'n hollol sicr lle roedd arno isio mynd, a hynny mor gyflym ag y medrai. O waelod ei galon gobeithiai fod yna fws yn cychwyn oddi yno am Rosceinwen yn fuan. Ond welodd o'r un. Wrth ei weld yn loetran o gwmpas y lle gofynnodd un o'r dynion bysys lle roedd o isio mynd, a chafodd Robat wybod y byddai yna fws Rhosceinwen yn dod i mewn ymhen deng munud. Am y deng munud hwnnw ofnai Robat weld y fan wen yn cyrraedd i chwilio amdano. Ond ddaeth hi ddim, ac er ei fod yn falch iawn roedd o wedi synnu hefyd.

Pennod 30

Wrth gwrs roedd ganddo hen ddigon o bres i dalu am ei diced bws. Doedd o ddim yn 'nabod y condyctor.

'A lle ti am fynd ar ben dy hun, boi?'

'Croesffordd Tŷ Cerrig, plîs.'

'Reit. *Single* 'ta *return*? Gwelodd yr ansicrwydd ar wyneb Robat. 'Os wyt ti isio ticad i ddŵad yn ôl, *return* ydi hwnnw. Ynte jyst un i fynd heddiw – *single*?'

'*Single* 'ta felly, plîs.'

'A ti'n siŵr dwyt ti ddim isio dŵad yn ôl heddiw, fory, neu wsnos nesa, dywad?'

'Nac 'dw.'

Gan ei bod hi mor boeth ar y bws a'i fod o wedi'i ypsetio drwyddo beth bynnag, cael a chael oedd hi iddo gyrraedd Bryn Menai heb fynd yn sâl. Ond fe wnaeth sefyll yn awel cysgod y tai yno les mawr iddo, a medrodd gyrraedd Tŷ Cerrig yn fuan a heb fawr fwy o drafferth.

Gan helpu Robat i lawr o'r bws mi ddywedodd y condyctor, 'Dyna ni, fyddi di'n iawn rŵan. Hwyl i ti, boi.'

'Ta-ta,' meddai Robat. Disgwyliodd i'r bws fynd yn ei flaen, yna croesodd y ffordd fawr at gornel Lôn Gweunydd yn teimlo cyffro'i hapusrwydd yn neidio. Yno gwelodd beth oedd wedi'i barcio ar y gornel – y fan wen, ac roedd ei fam yn camu ohoni. Mewn chwinciad fe drodd ei hapusrwydd yn ddychryn a thristwch. Gafaelodd ei fam yn ei fraich, ac fe dreiodd yntau dynnu'i hun yn rhydd.

'Wna i ddim dŵad yn ôl i fyw yn y dre efo fo, Mami!'

'Gwranda – '

'Wna i ddim!'

'Gwranda!' Roedd llais ei fam yn gryf. 'Ar ôl be wnest ti, dydi Mistar Philips ddim isio i ti ddŵad yn ôl i'r fflat. Ddeudis i wrthat ti am beidio'i ddigio fo.'

'Dw isio mynd at Taid a Nain.'

'Awn ni â chdi yno'n syth rŵan. Peth arall ydi wnân nhw dy gymryd di.'

Ddywedodd Mistar Philips ddim wrtho pan aeth Robat i mewn i'r fan, ond gyrrodd ar wib i fyny Lôn Gweunydd. Roedd Robat yn rhy ddigalon wrth feddwl am yr ansicrwydd oedd o'i flaen i fwynhau gweld y lôn fach dlos eto. Wrth gyrraedd y tro olaf cyn dod i olwg y tŷ, fe siaradodd Mistar Philips.

'Robat, ti wedi fy nigio i'n arw ac wedi brifo dy fam druan. 'Dan ni'n gweld mai niwsans wyt ti ac y byddi di i ni'n dau yn y fflat. Felly dyma benderfynu gadael i ti fynd i le mae'n well gyn ti fod.'

'Ac,' meddai ei fam, 'mae isio iddo fo addo un peth, on'd oes Mistar Philips?'

'O, oes. Ni ddaeth â chdi yma, ac nid dŵad ar y bws wnest ti.'

'Rhaid i ti addo deud hynny, Robat,' meddai'i fam.

Doedd o ddim yn hapus efo'r syniad. 'Ond pam cha i ddim deud y gwir?'

Cododd Mistar Philips ei lais, 'Wyt ti isio mynd yn ôl i'r dre?'

'Nac 'dw, wir.'

'Wnei di addo 'ta, Robat?' Gwelodd fod ei fam yn crefu arno.

Nodiodd o. 'Olreit, wna i.'

Syllodd Mistar Philips ar yr eliffant yn dal yn nwylo Robat.

'Tasat ti ond wedi taflu hwnna. Plant yn gwbod yn well. Ond difaru wnei di pan aiff hi'n galed arnat ti. Y ffŵl bach, faswn i wedi bod yn gefn da i ti am flynyddoedd . . . wedi dŵad â chdi i mewn i'r busnes, ond dyna fo – gwell gyn ti gladdu dy hun mewn twll o le fel hyn.'

Yn syth ar ôl cymryd y tro gwelodd Robat fod y cae isa wedi'i gario i gyd a doedd dim golwg o'r criw hapus a fu wrthi'n chwysu efo fo yn yr haul drwy'r prynhawn. Wyddai Robat ddim beth i'w ddisgwyl ar ôl cyrraedd Bryndu. Daeth Taid a Nain allan o'r tŷ. Yna fe aethon nhw'n ôl i mewn iddo a'i fam a Mistar Philips efo nhw gan ddweud wrtho fo am aros yn y fan. Wedyn aeth amser go hir heibio pan fu Robat yn siarad efo'r eliffant piws, yn ei gysuro ac yn addo iddo y byddai'n siŵr o gael ei drwsio. Yna daeth Mistar Philips ei hun yn ôl i'r fan a chymryd y bag lledr o rywle yn y ffrynt a mynd â fo i'r tŷ. Ymhen dim ar ôl hynny daeth ei fam i'r cowt a galw Robat ati. Pan aeth o, mi gafodd ei wasgu ganddi a chafodd lot o swsys. Mi ddywedodd hi bod Nana'n hir iawn yn mendio, ond ei bod yn siŵr o wneud, ac y byddai pethau'n wahanol wedyn. Roedd Mami'n addo hynny. Pan ddywedodd mai hi oedd ei fam o, ac y byddai hi'n ei garu am byth, gwelodd fod ei llygaid yn wlyb i gyd. Gwnaeth hynny i'r dagrau ddod i'w lygaid yntau ac mi afaelodd yn dynn iawn ynddi. Wnaethon nhw ddim sylweddoli bod Mistar Philips wedi cerdded heibio iddyn nhw efo Taid at y fan. Yna roedd corn y fan yn canu. Cafodd un sws fawr iawn gan ei fam cyn iddi frysio at y fan. Rywsut medrodd weiddi ar ei hôl,

'Chi 'di 'nghariad i am byth – nid Lisabeth!'

Ond fe gollwyd rhai o'i eiriau wrth i Mistar Philips wneud i'r injan ruo. A dyna lle roedd y fan yn troi o Lôn Gweunydd i'r lôn bost a'i fam yn edrych fel tywysoges y tylwyth teg yn mynd i ffwrdd oddi wrtho, gan godi'i llaw yn ddi-stop a chwythu swsys yn ddi-stop. Yna roedd hi wedi diflannu, ac yntau'n diodde'i cholli'n syth ac yn ofnadwy.

Teimlodd law yn gafael yn ei fraich a llais Nain yn ffeind iawn. 'Mae 'na fefus gwyllt yn barod i'w byta ar Lôn Gweunydd, meddai Taid. Ddoi di i' hel nhw efo fi, gwael?' Nodiodd ei ben, ac aeth Nain i nôl powlen.

Wrth gerdded efo Nain i lawr y lôn fach y noson braf honno, teimlai ei fod yn ei ôl mewn rhyw nefoedd fechan sbesial oedd ganddo. Roedd aer cynnes y lôn yn fyw o sŵn hwmian gwybed a'u pigau bach yn gwneud i'w wyneb gosi. Trwy'u hwmian a thrwy ogla melys blodau gwyddfid deuai twrw cacwn yn gweithio'n hwyr.

Dangosodd Nain y lle gorau i gael hyd i'r mefus. Ymhen dim roedd y fowlen yn hanner llawn o fefus bychain crwn a melys a choch iawn.

'Gyn i dipyn o hufen ffres wedi'i gadw i ti yn y tŷ llaeth i'w gael efo nhw. Wrth gwrs, wyddwn i ddim y basat ti'n mynd adra heddiw.' Edrychodd arno â'i llygaid yn edrych yn hapus, 'Dywad i mi – damwain ddigwyddodd i'r eliffant bach, ia?'

'Ia, Mistar Philips yn sathru arno fo heb ei weld o.'

'Petha felly'n digwydd. Paid â phoeni, mi drwsith Taid o i ti. O, ia . . . be wnaeth iddyn nhw ddŵad â chdi aton ni i fyny'r lôn fach 'ma, dywad?' Ddeudodd o ddim byd. 'Fasa dŵad trwy Gaerwen wedi bod cymaint ynghynt. Wyt ti'n siŵr na ddaeth o â chdi drwy Gaerwen neu Holland?'

'Dydw i ddim yn gwbod. Pan welis i nhw roeddan nhw wrth Tŷ – ' Sylweddolodd beth roedd o'n ei ddweud a bod Nain yn syllu arno. Ond roedd ei llygaid heb newid ac roedd ei llais yn ffeind pan ofynnodd,

'Dw i'n iawn i feddwl mai ar y bws ddoist di?'

Wyddai o ddim sut i'w hateb.

'Does dim isio i ti ateb,' meddai hi dan hanner gwenu.

'Ac i feddwl bod y dyn 'na 'di deud mai nhw ddaeth â chdi yma . . .' Dechreuodd chwerthin, am y tro cyntaf erioed i Robat ei gweld hi'n gwneud. Gan ddal i chwerthin gwasgodd o ati a rhoi cusan ar ei dalcen. 'Y gwalch annwyl – y chdi ddaeth yma dy hun, dim ond dŵad ar dy ôl di wnaethon nhw! Aros i mi ddeud wrth Taid a Huw a Mair.'

'Ond, Nain, nid fi ddeudodd.'

'O, naci – paid â phoeni am hynny.' Daliai i afael ynddo.

'Ond fan'ma ti'n perthyn, weldi. Fel dy dad a Taid a'i dad o. Mae un Lewis ar ôl y llall wedi tyfu i fyny yma. Fan'ma mae dy le di – Bryndu, y pentra, y Gors Fawr, a'r hen lôn fach 'ma.'

Clywodd Robat sŵn cacwn mawr arall yn mynd heibio iddyn nhw. 'Ac mae o'n lle da i hel cacwns, Nain.'

'Mae 'na bot gwag arall gan i chi orffen y jam cwsberis i gyd yn y cae. Gei di'u dal nhw yn hwnnw fory – na, ddydd Llun.'

'Hefo Now?' gofynnodd yn ddireidus a'i wên yn dangos hynny.

'Synnwn i ddim, Robat . . .'

Yna gwelodd y wên, a newidiodd ei llais fymryn.

'Newydd fy nharo i – ti'n mynd i fod yn llond llaw i mi on'd wyt? A wyddost ti pam?

Ysgydwodd ei ben.

'Am dy fod ti'n tynnu ar ôl d'Wncl Huw. Dy dad ac Anti Mair yn tynnu ar ôl Taid yn dawel ac addfwyn. Ond Huw – wn i ddim ar ôl pwy mae hwnnw'n tynnu, wir . . .'

Gwelodd ei fod yn pwyntio'i fys ati yn wên i gyd.

'Yli, llanc, paid ti â dechra mynd yn rhy hy efo fi, neu am y dre 'na fyddi di'n mynd!'

Ond gwyddai o'n iawn mai cogio roedd hi a'i bod yn trio'n galed i beidio gwenu. Yn y diwedd pan blygodd lein syth ei cheg i gyd mi ddechreuodd bwffian chwerthin. 'Y nef a'm helpo i rhwng y ddau ohonoch chi!' Ac fe glymodd hi'i breichiau'n dynn iawn amdano.

I Robat Wyn Lewis yr awran honno doedd yna yr unlle yn y byd yn debyg i Lôn Gweunydd. Ac i ddweud y gwir i gyd, fuodd yna unman byth wedyn chwaith.